LAS HERMANAS

Valentine

CASI PERFECTA

LAS HERMANAS Valentine

CASI PERFECTA

HOLLY SMALE

DESTINO INFANTIL Y JUVENIL, 2021
infoinfantilyjuvenil@planeta.es
www.planetadelibrosinfantilyjuvenil.com
www.planetadelibros.com
Editado por Editorial Planeta, S. A.

Título original: *The Valentines 2. Far from perfect*
© del texto: Holly Smale, 2020
© de la traducción: María Cárcamo, 2021
Traducido bajo licencia de HarperCollins Publishers Ltd.

© Editorial Planeta S. A., 2021
Avda. Diagonal, 662-664, 08034 Barcelona
Primera edición: mayo de 2021
ISBN: 978-84-08-22419-8
Depósito legal: B. 5.730-2021
Impreso en España

Para Judith,
que siempre estará conmigo

¿UN CAMBIO VALENTINE?

La famosa de las piernas interminables, Faith Valentine, apareció ayer con un nuevo peinado. Se la vio abandonar sola The Ivy (izquierda), con los mechones rizados esta vez lisos, lo que hizo saltar los rumores sobre su relación con la estrella del pop Noah Anthony.

Haciendo su aparición por la nueva entrada del Fifty Fifty llega FAITH VALENTINE (16). Alta, delgada, con piel de caramelo y ojos angelicales, es, sin ninguna duda, la chica del momento. Influencer, estrella emergente de cine y, sí, miembro de ESA familia. ¡Queremos que nos invite a salir por San Valentín el próximo febrero!

«Soy madrugadora», admite Faith durante la entrevista en la soleada sala de estar de la increíble mansión familiar. «Me despierto con el canto de los pájaros al amanecer. Lo primero que hago es beber agua —pone en movimiento el sistema digestivo— y un poco de ballet», le salen unos hoyuelos preciosos al sonreír. «Bailo desde que era una niña, me mantiene centrada».

¡BIENVENIDO A LA ZONA T! ¡LA PARADA OBLIGATORIA PARA LAS NOTICIAS EN EXCLUSIVA DE TUS FAMOSOS FAVORITOS!

Los Valentine tienen fama, belleza, muchííííííííííííííísimo dinero (dejadme algo, ¿no? LOL) y ESTE bloguero galardonado (todos los enlaces están abajo, no, no me los estoy inventando, son reales, KEVIN) le ha hecho una ENTREVISTA PRIVADA a FAITH VALENTINE, la mejor de todas. ¡El té está servido!

Analizamos con más detalle a la pareja de moda de este año —no es oro todo lo que brilla—. Fuentes afirman que les está costando mucho encontrar tiempo para estar juntos. Con la gira de Noah y la carrera cinematográfica de Faith, no disponen de muchas oportunidades de coincidir. Aunque ella lo está pasando bastante peor que él, sin duda. Los expertos están de acuerdo: «El lenguaje corporal nos dice que ella se está agarrando a esta relación con todas sus fuerzas». Pero ¿será suficiente?

1

Un ronquido.

Eso es lo primero que escucho. Un ronquido muy fuerte, seguido de la revelación de que estoy sola en mi cuarto, así que ha tenido que ser mío. Fuera, las palomas gorjean y los gorriones cantan, pero lo que ha conseguido despertarme han sido mis fosas nasales y su ruido de escopeta de asalto.

Muy sexy, Faith Valentine.

Tengo los ojos cerrados y la lengua como un zapato; la consigo poner en movimiento con un chasquido. Me incorporo en la cama, bostezo —mi aliento huele a ropa sucia—, bebo del vaso de la mesita de noche y escupo una mezcla de pasta de dientes y pimentón por toda la colcha.

En el culo del vaso:

Seguro que tu sistema digestivo está SUPERACTIVO. LOL

MAX xxx

Abro las persianas con una mueca de asco —mi hermano necesita un hobby— y entra el sol por la ventana; medio dormida, saco las piernas de la cama, me rasco la rodilla y enciendo la radio. Después me voy directa a la esterilla de yoga.

Una de las paredes de mi habitación está completamente cubierta por un espejo de seis metros. Con esta luz, los poros parecen pozos: con una cuerda y un casco de espeleología te podrías meter en alguno de ellos. Será mejor que deje de mirarme la cara. Me agarro a la barra de madera y doblo concienzudamente las rodillas.

Me pongo de puntillas y bostezo por la nariz. Hago un gesto con la mano hacia la izquierda: *grand plié*. Vuelvo a apoyar los pies en el suelo y estiro una pierna hacia atrás: arabesco. Un *relevé* con una sola pierna para estirar el pie. *A la sec...*

Voy a tener intensificar la rutina de exfoliación o la abuela me va a matar.

Battement fondu, battement frappé; quatrième devant.

Igual podemos tapar los poros con masilla.

Gliss...

—A continuación —dice la mujer de la radio, con una emoción excesiva—, ¡el último éxito de Noah Anthony! Una de las canciones más románticas que he escuchado, me ha llegado al corazón.

—Sí —contesta un tío inexpresivo—. Estoy... destrozado.

—¡Es que me derrito! —vuelve a decir ella, ignorando el sarcasmo de su compañero—. ¡Aquí lo tenéis! El nuevo número uno del Reino Unido, directo de nuestros oídos a los vuestros.

Me detengo en mitad de un giro. ¿Qué narices quiere decir eso?

Doy un salto rápido y llego a la radio justo a tiempo para escuchar los primeros acordes. La culpa se apodera de mí y bajo el volumen antes de que mi novio empiece a canturrear.

«Lo siento, cariño. Te quiero.»

Luego —con los muslos aún doloridos de ayer— vuelvo a la esterilla, respiro hondo, cierro los ojos, me inclino hacia delante, me toco la punta de los dedos y adopto la posición de plancha durante unos minutos. Levantando un poco el trasero, me coloco en forma de V: manos y pies en el suelo, la cabeza hacia abajo, las rodillas ligeramente flexionadas y...

—Eres una friki, Effie. Lo sabes, ¿no?

Abro los ojos. La cara de mi hermana mayor está a treinta centímetros de la mía, tirada en el suelo justo debajo de mí. Debe de haber entrado sin hacer ruido y metido debajo de mí.

—Tienes un problema grave —continúa irónica—. ¿Crees que es algo médico o psicológico, genético o simplemente el impacto latente de la desigualdad cultural general? Es una pregunta seria.

Mer está tan cerca que veo hasta los pegotes de su rímel.

Tiene el *eyeliner* corrido por el rabillo de los ojos hacia el pelo, como si llevara puesta una máscara; se le está descascarillando la base de maquillaje por la nariz y tiene los labios parcheados en lo que fue un bonito tono burdeos. La peluca rosa que lleva está torcida y enredada, con el flequillo hacia un lado.

Parece estar agotada, desde luego. Se me encoge el corazón.

—Buenos días —digo agachándome y dándole un beso en la frente—. ¿Qué tal la fiesta? ¿A qué pobre pero sospechosa alma has hecho llorar?

Me levanto y doy una zancada hacia delante sobre el cuerpo enfundado en lycra de mi hermana.

—Madre mía —dice Mercy—, ¡deja de hacer ejercicio encima de mí!

Se arrastra sobre el suelo de madera y se mete en mi cama poco a poco, como una criatura marina pesada y exhausta.

—Ni hablar —añade, apagando la radio—. No pienso escuchar los berreos de tu novio. Ni de coña.

—Mercy... —digo con el ceño fruncido.

—¿Qué? Venga ya. Escribe canciones de mierda y lo sabes. —Arruga la frente mirando a la luz—. Y también podrías apagar eso.

—¿El sol? —Hago una pirueta con cuidado.

—Sí. —Mer me mira girar con cara de asco—. Me está dando dolor de cabeza. Y tú también, Faith Valentine. Deja de doblarte y de dar vueltas. No son ni las seis de la mañana. Estás loca.

Cuando termina con su ritual de insultos, se pone un brazo sobre la cara, cierra los ojos y empieza a roncar donde lo hacía yo hace un momento, vibrando como un taladro que agujerea una pared de ladrillo.

Me quedo mirándola: está enfadada hasta cuando duerme.

A veces pienso que mi cama es como una multipropiedad, como un apartamento barato en Mallorca. Yo la disfruto por la noche, y mi hermana de diecisiete años la usa desde las cinco de la mañana hasta las dos de la tarde. Empiezo a pensar que Mer ni siquiera se acuerda de dónde está su propia habitación. Solo nos llevamos un año, pero si alguna vez cerrara mi puerta con pestillo, estoy segura de que dormiría en una toalla mojada hecha un ovillo como si fuera un cachorrito.

La tapo con cuidado —bueno, con algo de cuidado— con la colcha llena de pimentón y pasta de dientes. Luego voy a rellenar el vaso con agua no troleada, lo vuelvo a dejar en la mesilla de noche y me quito el pijama de seda. Dando saltitos, me pongo unas mallas verde fosforito y una camiseta naranja. Con cuidado —no vaya a ser que los aplaste—, me recojo los rizos en un moño despeinado y me pongo una gorra y unas gafas de sol.

Por último, me ato las deportivas, abro la app de fitness y salgo de la habitación. Pero me quedo un momento parada en el pasillo.

Hope está haciendo unos ruiditos muy monos —mi hermana pequeña no tiene un taladro por nariz—, Max sigue por ahí, como de costumbre, y, al fondo del enorme pasillo, la puerta de mamá (y la de al lado) está cerrada a cal y canto. Noah tocó anoche en Wembley y papá viene de camino desde California: evidentemente, ambos siguen fuera de juego.

Lo que significa —respiro hondo y me estiro— que todas las personas que hay en mi vida están completamente dormidas y lo tengo todo para mí sola. Hoy es un día importante y, en cuanto el resto del mundo se despierte, yo estaré luminosa, brillante e impecable.

Tengo que ser Faith Valentine. Pero todavía faltan dos horas para que llegue ese momento.

Me voy a correr.

2

¿Qué coche deportivo conduce un gato?

Un Miauserati.

Cuando corro, no soy nadie.

Cuando corro, no soy una Valentine, ni una novia, ni una hermana mayor ni pequeña; no soy una hija, ni una nieta; no soy una estrella de cine en proceso, ni «A la que no hay que perder de vista» ni «Una chica convirtiéndose en mujer» (vomito).

No soy la inspiración de una canción de amor.

Conforme corro por el sendero y salgo por la puerta automatizada —con las primeras gotitas de sudor sobre el labio superior, como si fuera un bigotillo— empiezo a desaparecer al ritmo familiar de mis pulmones.

El parque Richmond está precioso al amanecer. Húmedo y con una luz dorada rosácea; hay un camino que rodea el lago donde los cisnes blancos se deslizan sin rumbo fijo.

Aumento la velocidad, disfrutando del calor en las piernas y en el pecho, y del sudor que empieza a empapar la camiseta. Con una mueca en la cara —tengo que darle caña a la

14

cuchilla en cuanto llegue a casa o mis axilas rasposas inundarán los titulares— giro a la derecha y corro aún más rápido, con la cabeza baja hasta que...

—¿Faith Valentine?

«No, todavía no está.»

—¿Faith? ¿Faith Valentine? Eres tú, ¿verdad?

Hay un chico corriendo a mi lado, el sol ilumina su acné. Da un pequeño salto y se pone delante de mí, inclinándose para conseguir verme la cara bajo la gorra.

¿Por qué huele a cóctel de gambas pasado? ¿A las seis de la mañana?

—No —digo, bajándome la gorra y corriendo más rápido—. Lo siento, creo que te has equivocado.

—Qué va —insiste contento, aumentando también la velocidad—. Sí que eres Effie Valentine. He leído que sales a correr todas las mañanas y que vives por esta zona, así que llevo una semana madrugando un montón, cojo la línea de Piccadilly y luego la de District hasta Richmond y... ¡aquí estás!

Está a mi lado como si nada, como si fuéramos compañeros de carreras hablando de las noticias del día.

Empiezo a sopesar mis opciones. Podría ir más rápido —aunque soy más de fondo que de velocidad—, o podría pararme, pero eso podría parecerle una invitación para charlar. También podría salirme del camino y correr por entre los árboles, pero esa es una de las ideas más estúpidas que me he sugerido a mí misma.

Así que cambio de dirección sutilmente hacia el camino principal. No quiero herir sus sentimientos.

—¡No me puedo creer que seas tú! —continúa el chico alegre. No creo que tenga más de trece años, ¿qué hace que no está jugando a videojuegos o salpicando la taza del váter mientras hace pis o algo así?—. ¡Qué guay! Jolín, tenía razón,

15

estás muy buena. O sea, al natural, ¿sabes lo que digo? Que no te hace falta maquillaje. Así es como me gustan las tías buenas.

¿Así es como le gustan las tías buenas? Como si hubiera muchos tipos de tías buenas disponibles para un preadolescente con un grano en el entrecejo.

—Gracias. —Sonrío—. Eres muy amable.

—¿Vienes mucho por aquí? Por esta ruta, me refiero. —Iguala mi ritmo y se pone a mi lado—. ¿Qué te parecen los parques en general?

—Eh... —Esto debe ser una nueva forma de ligar, o algo—. No, no suelo correr por aquí. —«Y desde luego no pienso volver»—. Y... los parques son... ¿bonitos?

—¡Bonitos! —El chico parece estar encantado con mi respuesta. Echa un vistazo rápido a su alrededor—. ¿Cuál es tu... árbol favorito?

—El roble. —Estoy bien entrenada para dar respuestas rápidas, lo que me viene muy bien ahora mismo porque aún sigo medio dormida.

—¿Y tu comida favorita?

«Empanadillas de carne.»

—Sushi.

—¿Color?

«Gris.»

—Verde.

—¡Qué guay! —Seguimos corriendo bastante rápido y le cae una gota de sudor por la barbilla—. ¿Me firmas un autógrafo? —Me pone un bolígrafo delante de la cara—. ¡Me lo puedes escribir en el brazo!

Me paro y me pongo una mano en la cintura, me seco la frente y cojo el bolígrafo con la mano húmeda.

«Faith V...»

—«Con todo mi amor» —dice de repente— Escribe «Con todo mi amor».

«Con todo mi amor, Faith Valentine.»

Luego me pasa un brazo por encima de los hombros y me aplasta contra su cara, me estampa los labios mojados en la mejilla y sujeta su teléfono frente a nuestras caras sudorosas. Se me encoge el estómago: hay una luz roja parpadeando en la parte de arriba: 4.36, 4.37, 4.38...

No estaba ligando conmigo. Me estaba haciendo una entrevista.

—¡La he...! —dice el chico a la cámara haciendo una especie de T con la mano que le queda libre—. ¡T-Zoneado! —Me sonríe triunfante—. Gracias por la exclusiva, Eff. Chica número once, ¡para mí eres la número uno! Bueno, la número dos, detrás de Lily Aldridge. Es un ángel de Victoria's Secret y mi futura esposa.

Y se va corriendo entre los árboles.

Creo que tengo que replantearme mi rutina de ejercicio.

Igual debería levantarme aún más temprano y empezar a las cuatro de la mañana. Podría correr en círculos alrededor del lago de nuestro jardín. Ojalá la cinta que tenemos que en el gimnasio del sótano no me hiciera sentir como un enorme hámster vestido con ropa fosforita.

Entro por la puerta de casa y me seco la frente, miro la hora y cojo mi teléfono, que está encima de la mesa. Ya tengo un montón de notificaciones y alertas de Google.

Mientras estiro, le mando a Noah su mensaje diario de buenos días.

> ¡Buenos días, guapo! ¿Qué tal el concierto?
> Estuve viendo un poco en YouTube
> anoche... ¡fue increíble! Estoy muy
> orgullosa de ti. Bss.

Luego, descargándome los hombros, envío un mail a mi agente:

¡Hola, Persephone! ¡Gracias por la actualización! ¿Es la versión definitiva del guion o va a haber otra? Un abrazo.

A mamá:

> ¿Te preparo algo de desayunar? ¿Te apetecen unas gachas bien sanotas? ¡Avísame! Bss.

A papá:

> ¿A qué hora llegas? ¿Te dejo una llave? ¡Me muero de ganas de verte! Besos.

A Max:

> ¿Dónde estás? ¿Estás bien? Bss.

Parece que ya ha empezado la mañana, así que me tumbo en el suelo del pasillo y hago treinta flexiones. Treinta *jumping jacks*. Treinta subidas en la silla más cercana. Veintisiete sentadillas con peso sobre el cuello (dejo las tres últimas para después de lavarme los dientes).

Cojo el móvil y abro los mensajes de Genevieve, la asistente de mi abuela. La primera foto es de un batido verde intenso con una cuchara dorada sobre una encimera de mármol, arándanos y coco rallado en forma de corazón. Con un filtro que le da un tono rosáceo y nostálgico.

Seguro que sabe a hierba recién cortada.

18

¡Nada como empezar el día con el corazón (y el estómago) lleno! Buenos días, amores 😊<3 <3

Y... PUBLICAR.

Luego cojo un trozo de la pizza que dejó anoche Mercy sobre la mesa de la cocina, la engullo y eructo mientras subo las escaleras. Cuando llego arriba, garabateo el chiste del gato en un pósit e inclino la cabeza hacia un lado. Miauserati/Masserati. ¿A que es gracioso? A mí me lo parece. ¡Los gatos no saben conducir! LOL.

Por último, entro en la habitación vacía, le doy un beso al pósit y lo pego en la pared. «Listo.» Vuelvo a mirar el reloj y respiro hondo: las 8.23 de la mañana.

Solo me queda una cosa por hacer.

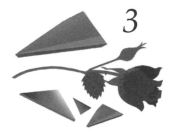

3

Mi hermana pequeña duerme como un lirón.

Mientras Mercy se enfrenta a la oscuridad como a un enemigo al que tiene que arañar y vencer, pero que termina pudiendo con ella —y Max lo graba todo—, Hope simplemente cierra los ojos e ignora al resto del universo.

Entro con cuidado en la habitación de Po. Todavía está dormida, hecha una bola, con las cortinas de terciopelo rojo abiertas de par en par y el sol iluminando la habitación. Está despeinada y abrazada a su nueva cámara de vídeo. Está pataleando con el pie izquierdo y murmura «¡Corten! ¡Corten! ¡Corten!».

Se me llena el corazón de amor puro y sin complicaciones.

—Po. —Coloco con cuidado la mano sobre su cabeza. Está sonando una alarma a su lado, pero como si nada—. Despierta, pequeña. —Le prometí que dejaría de llamarla así porque casi tiene dieciséis años, pero...—. Es tu gran día.

Hope se mueve y murmura «¡Acción!». Luego abre los ojos y me sonríe. Al contrario que el resto de la familia, a la benjamina de la casa le cuesta exactamente cero minutos despertarse. Es como una película: le das al play y empieza.

¡El sueño se hace realidad! —Hope se sienta recta, estira los dedos de los pies y abre los brazos como si fuera una estrella de mar—. ¡A quien madruga, drogas duras!

—¡Dios le ayuda! —digo con una carcajada.

—¡Eso es!

Sale de la cama de un saltito y empieza a dar vueltas en círculos con los brazos sobre la cabeza. Es el día de la presentación en su instituto nuevo, antes de empezar definitivamente en septiembre, y lleva preparándose desde que volvió de California la semana pasada.

Y cuando digo «preparándose», me refiero a practicando discursos elaborados para ser delegada de clase/la chica más popular/la organizadora de las mejores fiestas (depende del momento).

Me llega una notificación. *Ping.*

Buenos días, preciosa. Ojalá hubieras podido venir. ¡El público enloqueció! ¿Nos vemos luego? Te quiero. N. Bss.

—Faith y Noah... —Canta Po mientras respondo a mi novio con una sonrisa en la cara.

¡Claro! ¡Me apetece un montón! ¿Cuándo te viene bien? Bss.

—Morreando bajo un árbol... M-O-R-E-A-N-D-O.

Luego, empieza a deslizarse por la habitación, recopilando toda la ropa nueva de colores llamativos que le compré hace unos días.

—Me van a ver llegar a kilómetros de distancia. —Suspira contenta, ondeando las prendas como si fueran banderas—. Cáncer es un signo de naturaleza popular, Eff. Somos muy sociables. Estoy convencida de que todo el mundo me va a adorar.

Yo sonrío y cojo un estuche de la repisa. Hope siempre ha sido un alma feliz, pero desde que volvió de Los Ángeles está más contenta que nunca. Aunque cada vez que le pregunto qué fue lo que pasó allí —sobre todo con aquel chico— pone una expresión como reservada y extraña.

—Ah. —Sonríe—. Ya sabes, Eff. Paseos en coche, poco más.

También ha empezado a dar portazos y a gritar en momentos inapropiados, algo que no le pega mucho pero que es adorable. Aunque no estoy muy segura de qué se le pasó a papá por la cabeza para dejar conducir a una niña de quince años.

—¿Y si llevas algo para el aspecto no social del instituto? —Agito el estuche. Tiene forma de oso y está completamente vacío—. Para que te dé suerte, ya sabes.

—Ni suerte ni suerto. —Po se encoge de hombros—. Somos los responsables de nuestro destino, Eff. Además, es un centro de educación. La meca de la sabiduría. Seguro que hay un montón de lápices por ahí.

Suelta un «¡Oooh!» y abre la ventana.

—¡Ben! —Grita colocándose las manos alrededor de la boca—. ¡Benjamin! ¡Benjamino! ¡Estamos aquí! ¿Puedes subir por las tuberías *à la* araña o tenemos que bajar a abrirte?

Luego Po se da la vuelta y me mira subiendo y bajando las cejas.

Tengo novio desde hace tiempo y lo quiero mucho, pero no es el chico que está esperando en la puerta. Aunque esa minucia no parece importarle mucho a mi hermana la celestina.

—Vete a saludarlo. —Hope empieza a empujarme hacia la salida—. Ben ha venido desde Edimburgo, Faith. Es una cuestión de modales.

Me obliga a dar unos pasos más.

—No creo que...

—Además —continúa muy contenta, dándome golpecitos en los hombros—, ¿podemos dedicar *one moment* para apreciar lo guapo que se ha puesto, Eff? ¿No te parece? Se parece a... —considera las diferentes opciones— Harry Potter en la última película, o algo así.

Se le ilumina la carita de la emoción. Mi hermana me quiere mucho —y le cae muy bien Noah—, pero le gusta aún más una buena película romántica. Y Benjamin lleva deshojando margaritas por mí y dejándolas encima de la mesa de la cocina desde que teníamos seis años. Veo en los ojos de Hope que cree con firmeza que esto es un triángulo amoroso.

—Eh... —digo dubitativa mientras me empuja hasta el pasillo—. Cariño, de verdad, me tengo que duchar antes de ver a cualquier otra persona. Apesto y estoy sudorosa, y creo que he pisado una caca de pato o algo, así que...

Hope se inclina hacia mí y me olisquea.

—Hueles a rosas —sentencia, y me gira hasta dejarme de cara a las escaleras—. A rosas y a gotas de rocío y a *macarons* y a gatitos. Da igual lo que hagas, Faith Valentine. Siempre eres la perfección.

4

¿Por qué se da un baño un ladrón?

Para conseguir una huida limpia.

—¡Un segundo! —grito a través del hueco de la llave.

Una huida limpia. ¡Já! «Qué más quisiera yo.»

Me paso rápidamente una vela aromática por el cuello, me seco el sudor de la cara con la camiseta e intento poner una expresión de «Soy una vieja amiga, casi como una hermana, y no un interés romántico que vaya a empezar a mirarte de pronto con otros ojos, deja de mirarme así». Es evidente que Ben ha visto demasiadas comedias románticas.

Luego abro la puerta y mi «Buenos días» termina sonando como «Buenos... Dios».

Se hace el silencio.

—Faith —dice la dama Sylvia Valentine, mirándome de arriba abajo, horrorizada—. ¿Es una especie de... broma?

Parpadeo y miro el sendero. No hay ni rastro de Ben. Evidentemente, ha visto a mi abuela y a su aún más famoso bastón y se ha escondido detrás de un arbusto. Chico listo.

—¿El... qué?

—Esto. —La abuela me señala con el bastón, moviéndolo de arriba abajo, y resopla como un sabueso escandalizado—. Cuando te dije que te prepararas con un *look* natural, no me refería a que parecieses una vagabunda con —se inclina hacia mí— un toque de ralladura de naranja amarga y lavanda.

Tuerzo la nariz. Madre mía, qué bien se conoce esta señora las velas aromáticas.

—Pensaba que habíamos quedado a las diez, son solo las...

—Eres una Valentine. —Levanta una mano pálida y llena de anillos—. Nosotras no abrimos la puerta hechas un adefesio, da igual la hora que sea. ¿Qué habría pasado si hubiera sido un periodista? ¿O algún fan loco? ¿Y si tuviera un vídeo-log?

Agacho la cabeza para que no vea cómo se me abren las fosas nasales. «¿Vídeo-log?»

—Lo siento, abuela.

—Tenemos que estar siempre presentables. —Levanto la cabeza. La abuela ha empezado a usar su voz teatral—. No hay descansos, Faith. Para nosotras, el telón siempre está arriba.

Agacho la cabeza aún más que antes.

—Perdón, abuela.

—Métete en el coche, por favor —dice cortante—. Espero un comportamiento irreverente de tus hermanos, pero no de ti.

Luego se da la vuelta y camina hacia la limusina plateada. Se le nota la decepción hasta en los hombros.

La culpa me recorre todo el cuerpo. Esas dos horas no eran para nada mías. Debería haberme duchado, depilado, lavado el pelo, peinado, hidratado, maquillado... Debería haber estado llenando los pozos de mi cara para que nadie más los viera.

—Lo siento, abuela —digo por tercera vez.

«A sus órdenes, abuela.»

Y hago exactamente lo que me dice.

—... potencial. —La abuela lee algo mientras yo me echo hacia atrás en la limusina y me froto la cara con una toallita que huele a pepino—. «Con una belleza de otra época, típica de una leyenda del cine moderno —me mira—, y la pareja de moda en lo que va de año, Faith Valentine se dispone a dejar su huella en la industria cinematográfica. Ya le llueven ofertas de todas las partes del mundo».

Genevieve saca otra toallita húmeda de un enorme bolso de mimbre que parece contener todos los artículos necesarios para un día de spa. Puede que en algún momento termine sacando una bañera y una sauna. Me empiezo a frotar con fuerza el cuello.

—Por cierto, ¿has publicado ya tu primer post en la *World Wide Web*? —Mi abuela eleva las cejas—. Convenientemente ambicioso y apropiado, ¿verdad?

Hace que parezca que las redes sociales sean como enviar un informe con tu pasaporte y tu dirección en un sobre a los pequeños robots que gestionan «La Internet».

—Sí, abuela. —Sonrío agradecida a Genevieve y me empiezo a tocar inconscientemente el interior del oído con un dedo—. Más de ciento treinta y dos mil *likes* en media hora.

—Así me gusta. —Pasa la página de mi cuaderno de recortes de revistas (también conocido como *Libro de los horrores*)—. Aunque la prensa rosa no para de hablar de tus problemas con el joven Noah Anthony. Esto no es bueno para tu imagen, Faith.

Saca una foto en la que se me ve frunciéndole el ceño a mi

novio con una gota de mayonesa colocada estratégicamente en mi barbilla, como una perilla blanca.

—Tenía hambre —digo con firmeza—. Nos va de perlas, te lo prometo.

Además, no sé cómo comerme una hamburguesa de forma que transmita: «Estamos locamente enamorados pero tú habías dicho que no querías patatas así que aparta tus sucias manos de mis patatas bajas en grasa».

—Los Valentine no lavan los trapos sucios en público. —Me recuerda la dama Sylvia con severidad—. Pagamos a otros para que lo hagan en secreto y en una lavandería exclusiva para personas famosas, preferiblemente al otro extremo de la ciudad. ¿Te ha quedado claro?

Asiento con humildad.

Lo único que ven millones de personas en esa foto es a Noah —adorable y atento— y a mí: una vaca gruñona que no es capaz de encontrar su propia boca.

«Tienes que esforzarte más, Eff.»

—Por cierto, he visto las pruebas de *Variety* esta mañana. —Gira el cuaderno de recortes—. Estás muy guapa, pero no dices nada, Faith. Por favor, intenta hacer algún comentario interesante. Nadie quiere leer la entrevista a una estatua, por mucho que sea la de una diosa.

—Es que Mercy y Max estaban hablando de...

—Pues hazte oír. —La abuela pasa otra página, la examina y suspira—. El *Daily Mail* se ha vuelto a referir a ti como «distante» y «reina de hielo». Querida, si fueras un hombre, te tildarían de «enigmático». Sin embargo, a una mujer así se la considera una pesadilla. Tienes que parecer más tierna. Pero tampoco tanto como para que te consideren desesperada, evidentemente.

Genevieve y yo nos miramos.

La asistente de mi abuela tiene veintipocos años, pero lleva una chaqueta de terciopelo, una falda de tubo y una blusa de volantes. Es como si hubiera florecido una versión idéntica de mi abuela, como coger un esqueje de una planta y plantarla en una macetita para que salga una nueva.

Genevieve asiente levantado las cejas.

«Sé más tierna, Faith.»

—Claro. Lo siento.

La limusina se detiene en mitad de la carretera —ignorando los pitidos de frustración de los coches que llevamos detrás— y empiezo a sentir náuseas.

Igual si me vomito encima me llevan a casa. Aunque algo me dice que me darían otra toallita húmeda con un poco de ambientador de pino y arreando.

Ping.

¡Madremíamadremíamadremía! ¡Se me
ha olvidado desearte BUENA SUERTE!
¡Lo vas A CLAVAR! ¡ERES TODO UN
PARÁSITO DE LA FEMINIDAD! H. Bss.

—Eh... —Con una sonrisa, me pongo sobre el sudoroso sujetador deportivo naranja el vestido blanco que me han dado—. Abuela, podemos... Crees que... ¿Podríamos repasar rápidamente lo que tengo que...?

—Llevas recibiendo clases de interpretación todos los miércoles desde hace casi un año, Faith. —Mi abuela me mira con el ceño fruncido—. ¿No has prestado atención? ¿No hemos revisado todos los puntos?

—Sí, he leído a Stanislavski y a Chéjov, y a Meisner y Adler. —Me los sé de memoria—. Pero...

—Pues no entiendo cuál es el problema.

Se hace el silencio.

—Llevas la interpretación en la sangre —aclara la dama

Sylvia Valentine: ganadora de cinco Óscar, del BAFTA de honor a toda una carrera y del British National Treasure—. Heredé un extraño y valioso don de mi madre, y tú lo has recibido de la tuya.

El chófer abre la puerta mientras Genevieve me pasa un guion.

Detrás de nosotros siguen pitando.

—Eres una Valentine, querida —termina mi abuela con una sonrisa—. Te han puesto el mundo en bandeja. Lo único que tienes que hacer es no cagarla.

¡FAITH VALENTINE DICE QUE LOS PARQUES SON "BONITOS"!

Efectivamente, ¡sois los primeros en saberlo, T-Zoneros! Durante una entrevista en EXCLUSIVA con la preciosísima *celeb* Effie V., ¡admitió EXCLUSIVAMENTE que le gustan los robles y el color verde! ¡Y le di un beso! Para ver la prueba, KEVIN, dale al vídeo de la izquierda.

«No la cagues, Faith.»

No la cagues, la cagues, la cagues, cagues...

Alguien le propina una patada a la puerta justo cuando estoy saliendo, y casi me da un golpe en la cara.

—¡Eh! Lo siento. —Una chica bajita con el pelo rubio corto y pecas pone los ojos en blanco al mirarme—. ¡Por todos los gatos del mundo! ¿Eres tú? Menuda forma de perder mi maravillosa mañana. Enhorabuena por el enchufe, Valentine. Debe de sentar muy bien.

Y sale a zancadas por la puerta principal. Lleva un peto y

unas botas plateadas. Es bajita, pero tiene una gran presencia. Me quedo embobada mirando cómo se va.

—¿Faith Valentine? —la recepcionista chilla cuando me doy la vuelta—. ¡Madre mía! ¡Eres tú! ¡Y eres incluso más guapa que en las fotos! ¿Cómo está la pobrecita de tu madre? Me dio muchísima pena enterarme de la... —Eleva la voz hasta que es un susurro muy fuerte— TRÁGICA RECAÍDA de Juliet.

Al escuchar mi nombre, todas las chicas de la sala han levantado la vista, me han contemplado con los ojos entrecerrados y han vuelto a mirar hacia abajo.

—Está...

—¡Cuánto me alegro! —La recepcionista se levanta y le hace un gesto a la actriz que espera nerviosa fuera de la sala de casting—. Tú, siéntate. Me han dado instrucciones estrictas de hacer entrar directamente a Faith Valentine en cuanto llegara. Por favor, Faith, ¡permíteme!

Abre la puerta y hace una pequeña reverencia, como si se pensara que necesito ayuda profesional para entrar y salir de una estancia. Humillada, trago saliva y entro.

«Sé tierna, Faith, pero tampoco demasiado.»

«Entusiasta, pero no desesperada; relajada, pero no atontada; divertida, pero sin esforzarte mucho; graciosa, pero no alocada; descarada, pero no agresiva; preciosa, pero cercana; elegante, pero no fría; segura, pero no arrogante; femenina, pero no cursi; agradable, pero no aburrida.

»Tú, pero..., bueno, otra persona.»

Mi abuela y yo pasamos los diez primeros minutos de cada clase de los miércoles practicando el método Stanislavski. Hay que dibujar un círculo imaginario a tu alrededor y dejar todo lo demás fuera: te mantiene segura y reservada, sin importar lo que esté ocurriendo en el mundo.

Imposible.

Estoy plantada en medio de una sala llena de extraños que me evalúan detenidamente. Me dividen en partes y analizan mis características una por una: los ojos de mi madre, la nariz de mi abuela, la boca y la altura de mi padre... Hasta que me reducen a una mezcla de pequeños rasgos de personas que no son yo. Una composición de belleza reciclada que me han dado otros y me han enseñado a cuidar con esmero, como un reloj viejo o un bolso *vintage*.

—La Valentine mediana —anuncia una señora mayor con unas gafas de carey—. ¡La hija de Mike y Juliet!

—Impresionante —dice otra persona, apuntando algo en un cuaderno—. Exótica pero clásica al mismo tiempo. La cámara la va a adorar.

Me activo en el momento justo.

—¡Hola! —Camino hacia delante y sonrío con un hoyuelo en la mejilla izquierda—. Es un auténtico placer conocerlos. —He aprendido a morderme sutilmente el interior de las mejillas sin que nadie se dé cuenta. Nadie sabe que el hoyuelo es falso. Ni siquiera Noah—. Hola —saludo a cada uno individualmente. Hoyuelo—. ¿Cómo estás? —Hoyuelo—. ¿Qué hay? —Hoyuelo. Hoyuelo. Hoyuelo. Hoyuelo. Me ha empezado a sangrar la boca.

—Hola. —Llego al famoso director de casting, Teddy Winthrop. Es tan viejo y está tan arrugado que hace que mi abuela parezca una debutante de Manhattan—. Es un privilegio conocerlo.

Hoyuelo otra vez. «¡Ay!» Extiendo la mano para saludarlo.

—Hale, ya está. —Teddy asiente muy poco impresionado—. Ya nos has saludado a todos. ¿Podemos empezar?

Señala la silla vacía que hay en medio de la habitación con su mirada azul, y yo repaso mi guion.

—Sin leer. —Exige el director de casting con voz fría—. Por favor.

—Pero mi agente me ha dicho... —replico horrorizada.

—Sí. Pero, tal y como me han informado repetidamente y sin descanso, eres una Valentine. Doy por hecho que podrás con una pequeña escena, ¿no es así?

De pronto no estoy segura de que mis contactos familiares estén haciéndome un favor. Puede que ya hayan conocido a Mercy.

—Por supuesto. —Dejo obedientemente el guion en el suelo—. Claro. No hay problema.

Entonces me siento en la silla y se encienden dos focos enormes. Vacilo.

«Encuentra el círculo, Eff.»

Me siento como un lagarto dentro de un terrario.

—¿Por dónde les gustaría que...?

—¡Bang! —La mujer de las gafas empieza a hacer ruidos—. Crac. Oooh-eee-ooooooh. Uuuh. Uuuh. Uuuuuuuuuuuuh. Yiiiiiiiiija. Yiiiiiiiiija. ¡Guau, guau! ¡Miaaau! ¡Oinc, oinc! ¡Hiaaaaaa!

Me quedo pasmada mirándola. Pero ¿qué...?

—¡Ah! —Miro hacia un lado y veo que la luz verde de la cámara está parpadeando—. ¿Ya hemos empezado? Hemos empezado, vale. Um. ¡Fred! ¿Qué ha sido eso? He escuchado algo... ¡Hay alguien fuera!

—Nohaynadie. —Lee la mujer con un tono plano.

—Hemos cometido un error —digo, haciendo temblar mi voz con cuidado—. Deberíamos irnos de aquí... Deberíamos... ¡Vámonos! Espera, creo que tengo batería suficiente en el...

—Soloesunaovejaoalgo.

—Pero las ovejas no hacen ese ruido.

—Puesseráunavacaentonces —La mujer me mira levantando las cejas—. Unacabraoloqueseaquetienenenahívoyasalirunmomentoespérameaquí...

Espera..., ¿la conozco?

Se me enciende la bombilla. Una fiesta que organizaron mis padres hace como unos diez años. Música, risas, flores, una carpa blanca enorme en el jardín... Y nosotros sentados en las escaleras, escuchando a...

—...Beso.

Mis padres estaban en el césped, haciendo un brindis, y...

—Beso.

El ruido de los vasos y miré a mi alrededor y...

—BESO.

«Ay, ¿me toca a mí?»

—Ah. —Me quedo mirando a la señora de la fiesta, y luego a Teddy. No recuerdo que hubiera un beso en el guion original—. ¿Beso? Qué... ¿A quién se supone que tengo que... besar?

Miro a mi alrededor, confusa.

—¡Ya lo hago yo! —Interviene de pronto un chico al final de la sala—. Si necesitáis a alguien que se dé el lote con Faith Valentine, ¡me ofrezco voluntario! De momento. Para practicar. O lo que sea.

Teddy se queda mirando al pobre chico hasta que se vuelve a sentar.

Yo me paso la lengua por los labios.

«Haz algo, Faith.»

De forma impulsiva, cierro los ojos y empiezo a darme el lote apasionadamente con el dorso de mi mano. Sabe a sudor y a miedo, y a toallitas desinfectantes de pepino.

—Oh, Freeeeeed. —Beso—. ¡No te vayas! —Beso—. ¡Por favor! ¡Te quiero! ¡No me dejes aquí sola! —Beso—. ¿Qué pasará sí...? Oh, no. Oh, no, se ha ido. Se ha marchado. Se ha...

—Suficiente —dice Teddy Winthrop.

Y paro.

—¿Qué estás haciendo? —Pregunta el director de casting

con el ceño fruncido—. ¿No quieres este papel? ¿Crees que la televisión no es suficiente para las ilustres Valentine?

—¡No! —Me sonrojo—. ¡Claro que no! De verdad que quiero este papel, señor. La interpretación es mi vida.

—Pues cualquiera lo diría. —El señor Winthrop mira a la mujer de las gafas y luego vuelve a posar sus ojos en mí—. Eres el único personaje que queda vivo. Para el público, tú eres la historia. Estás sola, asustada, ha pasado algo intenso y desagradable y tienes que sostener el peso de la serie. Dominarla.

—¿Ayudaría si... me muevo un poco?

—Por mí como si haces volteretas, cielo. A poder ser, interpreta el papel con más carisma que el de una cuchara de madera podrida.

Eso ha dolido.

«Sé la naranja, Faith.»

Estiro los hombros y me levanto; cambio de idea y me vuelvo a sentar; vuelvo a cambiar de idea y me levanto. Giro la cabeza hacia un lado; vuelvo a ponerla hacia el otro. Parece que haya alguien sin carnet conduciendo mi cuerpo.

Inténtalo, Faith. No te estás esforzando lo suficiente. Dales más.

Respiro hondo y grito.

—¡NOOOOOOOOOOOOO!

Me doy con el puño en el pecho y me tiro de rodillas al suelo, con los ojos cerrados.

—¡Fred! ¡FREEEEEEDDD! —Más aún—. ¡¡¡FREEEDDDDDDDDDDDD!!!

—Creo que ya hemos visto suficiente.

Abro los ojos y noto cómo me arden las mejillas.

—Por favor, señor Winthrop —«No parezcas desesperada. No parezcas desesperada»—. ¿Puedo hacer algo...?

—No, gracias —dice Teddy cortante—. Por favor, que entre la siguiente chica.

Carraspeo un poco y me levanto de la silla, con calma. Me aliso el vestido, me coloco el pelo y sonrío. Porque el telón nunca baja, el público siempre está pendiente y siempre hay que saludar, aunque nadie aplauda.

—Gracias por recibirme —digo con educación, agachando la cabeza—. Espero volver a encontrarme con ustedes en el futuro. Adiós.

Y salgo de la sala.

La puerta es demasiado fina.

—En fin —refunfuña Teddy Winthrop desde el otro lado—, la infame reina de hielo puede ser lo que necesitamos físicamente, pero preferiría contratar a la encimera de mi cocina.

Cierro los ojos una vez más.

—Una lástima —conviene la vieja amiga de mis padres—. Es una chica muy mona. Tiene las capacidades interpretativas de una patata, pero, por el amor de Dios, ¡qué preciosidad de cara!

6

Pues ha sido divertido.

El chófer de mi abuela sale del coche, se toca la visera, me hace un gesto con la cabeza y me abre la puerta.

—Madre mía, ¡qué bien ha ido! No estoy segura de lo que están buscando —puede que una persona que pueda interpretar con convicción a otra—, pero he conectado mucho con el director y la próxima vez creo que...

La parte de atrás del coche está completamente vacía.

—Han ido a comprar a Fortnum & Mason, señorita —dice el chófer mientras mi sonrisa va desapareciendo y suspiro aliviada—. Además, creo que su abuela acaba de adquirir el impulso repentino de tomar el té en el Hilton.

Mi abuela parece un personaje de dibujos animados. En algún momento de su vida, se metió en el papel de una gran dama británica —con su bastón, actitud imperiosa, expresión soberbia, «y el impulso repentino de tomar el té en el Hilton»— y nunca lo abandonó. Es muy importante recordarme a mí misma que soy medio estadounidense y que solo tengo el cincuenta por ciento de *Downton Abbey*.

Ping.

Cariño, este álbum está acabando
conmigo. ¿Vienes a alegrarme un poco?
☹ N. Bs.

—¿Adónde vamos, señorita? —El chófer se sube al coche—. La dama Sylvia ha dicho que puede reunirse con ellas si gusta.

Hago como que me lo pienso durante unos segundos.

Ummm, comer panecillos en una sala con relieves dorados y llena de gente («Oh, ¿conoce a mi nieta Faith? Es el futuro de las Valentine, ¿sabe? Querida..., ¡no te pases con la mermelada!»), o ver a mi novio pulsar con emoción los botones de una mesa de mezclas enorme como si fuera una nave espacial que acaba de aprender a manejar.

Aliviada, rebusco por la puerta del coche para coger mi neceser secreto de maquillaje y me miro a un pequeño espejito. Parezco cansada. Pero con un poco más de refinador de poros colocado estratégicamente, iluminador, base, polvos, colorete, rímel, delineador y bronceador, todo el mundo pensará que estoy perfectamente.

Como buena experta que soy, empiezo a aplicarme el maquillaje del que solo yo seré consciente.

Gracias, Señor, por los novios.
—Llévame a Abbey Road, John, por favor.

Noah me espera fuera.

Cuando la limusina se detiene en la puerta del estudio de grabación más famoso del mundo, veo a mi bomboncito. Está agachado, apoyado en un bolardo, con los ojos entrecerrados, concentrado mientras reproduce un tema dándose golpecitos con los dedos en las piernas. ¿Conocéis esa sensación de cosquilleo al salir de un baño caliente y creer que te vas a derretir hasta desaparecer pero que tampoco pasaría nada si lo hicieses? Así me siento yo cada vez que veo a Noah Anthony. Como si estuviera desvaneciéndome y no me importase un comino.

—¡Eff! —Levanta la vista y me mira salir del coche. Por fin sonrío sin hoyuelos—. ¡Menos mal que ya has llegado! Llevo toda la mañana tocando los tres mismos acordes y te juro que estaba a punto de arrancarme los dedos.

Noah tiene la nariz ligeramente torcida por un puñetazo que le dio su hermano cuando eran pequeños, una cicatriz sobre la ceja izquierda y los dientes un poco descolocados porque se negó a ponerse aparato. Pero son esas imperfecciones las que lo hacen tan maravilloso y las responsables de que sea interesante mirarlo.

Mi sonrisa se va haciendo más grande conforme me acerco. Se afeitó la cabeza hace un par de días —en un intento de parecer más malote—, pero en realidad se lo ve más dulce y vulnerable. Como un corderito.

—Hola. —Le doy un beso tierno y estudio su cara detenidamente—. ¿Va muy mal?

Él me responde con una mueca.

Noah finge que la montaña rusa del éxito lo abruma, pero en realidad disfruta de cada bajada y de cada curva

39

brusca. Le encanta sentir la presión, pero también tiene que hacerse el artista reacio y saturado, así que finjo que no me doy cuenta.

—Horrible. —Suspira y pone los ojos en blanco—. A veces me pregunto por qué me esfuerzo, ¿sabes? Echo de menos los días en los que me pasaba las horas en mi habitación, a solas con mi guitarra. Esta mañana no me estoy llevando demasiado bien con los acordes.

Pone cara de emoji triste, así que busco rápidamente el chiste adecuado.

—Había una vez un pianista tan desafinado que se desmayó y en vez de volver en sí volvió en la menor.

—¿Qué? —Noah frunce el ceño.

Saco las manos, con las palmas hacia él.

—En la menor.

Se hace el silencio.

—En vez de volver en sí —repito con una entonación diferente—. Es... un chiste sobre acordes, ¿no?

Mi novio suelta una risotada —¡Ja!— y me da un beso en la nariz aunque, sinceramente, habría sido lo mismo si me hubiera dado golpecitos en la cabeza como a un cachorro.

—¿Quién dice que no es posible encontrar una chica guapa Y graciosa?

Le doy un beso, aliviada.

—Básicamente todo el mundo.

Él sonríe.

—Son malos tiempos.

—¿Noah? —Sin saber de dónde viene, una sensación de vergüenza me golpea en el estómago—. Esta mañana... —Hago una mueca—. La audición... no ha ido... demasiado bien. —El carisma de una cuchara de madera podrida—. Creo que no lo he... clavado, precisamente. Creo que he estado un poco... tiesa.

«Preferiría contratar a la encimera de mi cocina.»

—No seas ridícula, Eff. Tienes que creer en ti tanto como yo. —Aquí llega el juego de palabras—. Ten un poco de fe en ti misma. ¿Sabes lo que te digo?

Se ríe. Siempre le hace gracia.

—No, lo digo en serio, Noah —Se me humedecen de pronto los ojos—. Ha sido horrible. La abuela se va a enfadar muchísimo conmigo, mi agente se va a poner furiosa y yo no sé qué hacer si...

—Venga ya, como si alguien pudiera decirle que no a esto. —Da un paso atrás y me señala como si fuera una diosa surgiendo de la espuma del mar—. Eres, literalmente, la chica más preciosa del mundo. Y la más dulce. Es que, mírate, por Dios, Eff. ¿Has visto esos ojos? ¿Y ese pelo? ¿Y esa boca? ¿Y esos...?

Pongo los ojos en blanco y le hago una mueca.

—Sí, gracias, Noah.

—Lo que quiero decir —me coloca las manos suavemente a cada lado de la cara— es que no están ciegos.

Nos quedamos mirándonos cariñosamente.

Por un segundo, veo a mi novio igual que la noche cuando lo conocí en la fiesta de después de los premios BRIT. Estaba celebrando que había ganado su primer galardón importante y yo estaba agachada, ayudando a los camareros a recoger unos aperitivos que se habían caído.

Tenía que hacerlo. Los había tirado Mercy.

—Noah. —Empiezo a decir, pero me callo de golpe. Sus enormes ojos oscuros tienen un ligero brillo y noto que sus dedos dan como espasmos—. Noah, ¿estás practicando piano en mi cara?

—¿Cómo? —Se aparta enseguida—. No. ¿Qué?

—Claro que sí.

—¡Que no! Estamos hablando de tu carrera, Eff, de tu destino, del camino que has de tomar, de... —Se pasa la mano por la cabeza rapada—. Está bien, vale, lo admito, pero es que creo que tu chiste ha solucionado mi problema con los acordes. ¡Es la menor, no do! ¡La menor! No me puedo creer que no me haya dado cuenta antes.

Me río, aunque haya entrecomillado con los dedos la palabra *chiste*.

Es imposible estar enfadada con Noah. Tiene unas pestañas increíblemente largas y una capacidad alucinante de hacer que sus ojos parezcan tan grandes y redondos que te dan la sensación de estar regañando a un ternerito.

—Tira, anda. —Lo empujo bromeando hacia el estudio—. Vete a por esa nota. Dale un buen golpe a la inspiración o lo que sea.

Noah hace un esfuerzo muy grande para intentar parecer indeciso.

—¿Estás segura?

—Que sí.

—Porque... —Me agarra de la mano y me tira hacia él para darme un beso. Siento su aliento en mis labios: dulce, cálido, rico. Ha bebido café con tres terrones de azúcar— has venido hasta aquí y... el disco nuevo no es tan importante. Podría conformarme con alcanzar el número dos en las listas de ventas y quedarme aquí fuera un rato más...

Muevo la nariz e intento parecer firme.

—Vete a grabar esa canción.

—Puede que incluso me conforme con el número tres. —Me besa las cejas—. O quizá podría tirar la guitarra a la basura y podríamos...

—Vete. —Lo vuelvo a empujar.

Me besa un párpado.

—Enrollarnos toda...

—Noah Anthony, vete.

Y entonces escucho unos clics.

7

Me doy la vuelta. Las cámaras nos apuntan como si fueran armas.

—¡FAITH! ¡NOAH! —Los *paparazzi* empiezan a salir de todas partes. De detrás de los muros, contenedores y coches; gritando, jaleando, empujando—. ¡MIRAD AQUÍ! ¿ESTO SIGNIFICA QUE HABÉIS VUELTO?

—¿SEGUÍS TENIENDO PROBLEMAS? —Más empujones—. ¿VAIS A TERAPIA DE PAREJA? ¿O A UN VIDENTE ESPECIALISTA EN RELACIONES?

—¿TENÉIS ALGO QUE DECIR SOBRE LOS RUMORES?

—¿QUÉ OS PARECE EL NOMBRE DE FOAH PARA VUESTRA RELACIÓN? ¿FAINOAH? ¿JOITH? ¿JAITH?

—¿NOITH? ¿NITH?

Noah se ríe.

—Fainoah, ese es mi favorito. Suena a comida hípster con aguacate.

Pero mi cerebro ya había empezado a reproducir en bucle lo sucedido. ¿Cuánto tiempo llevan ahí? ¿Qué han visto? ¿Se han dado cuenta de que estaba a punto de llorar? ¿Parecía que estábamos discutiendo?

Yo empujaba a Noah y él no me soltaba la mano.

Maldita sea, incluso le he pegado de broma.

—¡VENGA, FAITH! ¡DALE UN RESPIRO AL POBRE CHICO! —Me recuerda alguien a pleno pulmón.

Me giro horrorizada para mirar a mi novio.

—Ups... —Noah sonríe indolente—. Mi equipo de relaciones públicas debe de haberles dicho que estábamos aquí. Culpable.

Muevo los ojos a toda velocidad en busca de una salida.

—Oye, oye. —Noah me agarra de las manos—. No te enfades, cariño. Esto forma parte del juego de la fama, ¿no? A mí tampoco me gusta, nada en absoluto —le encanta—, pero, ¿qué le vamos a hacer?

No lo sé: ¿no darle detalles a los *paparazzi* de todos y cada uno de nuestros movimientos?

Lo único que me apetecía era darle un abrazo a mi novio en su descanso sin tener a un millón de personas interpretando lo que significa al día siguiente. Sin juzgar cada minucia de la expresión de mi cara, o de mi pelo, o de mi ropa; sin que haya artículos enteros analizando nuestro lenguaje corporal. «Ella lo empujó: es una relación rota. ¿Los pies no están apuntando al otro? Falta de intimidad, míralo. ¿Has visto los ojos de Faith? Esta pareja tiene problemas. ¡Rezad por ellos, lectores! ¡Rezad por FOAH!»

Pero me doy cuenta que parezco arisca y desagradecida —muy poco atractiva—, así que saco el hoyuelo todo lo que puedo.

—¿Podemos...?

—A no ser... —Noah me interrumpe con brillo en los ojos—. A ver, si van a escribir sobre nosotros, Eff, mejor que les demos algo sobre lo que escribir, ¿no? Y así nos divertimos un poco.

—Por supuesto —asiento con entusiasmo—. ¡Buena idea!

Mi novio me guiña un ojo y susurra: «¿Lista?».

Yo asiento.

Y me besa apasionadamente. Coloca una mano en la parte baja de mi espalda, la otra entre mi pelo, y me echa hacia atrás hasta que tengo que agarrarme a él. Estoy acalorada, sin aliento y curiosamente débil.

Es un beso de película. Un beso de póster. Un beso de portada.

Clic, clic, clic, clic, clic, clic.

Le devuelvo el beso, nerviosa.

—¡Largaos ya! —grita Noah cuando por fin nos separamos—. ¡Estamos hartos de vosotros, papanatas! ¡Fuera! ¡Dejadnos un poco de intimidad! ¡Mirad qué preciosa es! ¡Necesito estar a solas con ella!

Los *paparazzi* se ríen. Noah adora la fama —la busca, la corteja, tontea con ella— y ese amor es recíproco. Mientras tanto, yo cargo con mi popularidad como un caracol reacio con su concha, y eso también lo notan los periodistas.

—Te quiero mucho. —Me susurra Noah sin aliento, apretándome la mano—. Lo sabes, ¿no?

—Sí. —Me relajo y sonrío—. Yo también te quiero.

—¿Te llamo esta noche? Después del concierto.

Será mejor que ponga una alarma a medianoche: él está muy emocionado y ya lleva litros de café, así que va a ser una videollamada tardía.

—Sí. Y ¿sigue en pie lo de...

—...mañana? —Noah sonríe—. Por supuesto, cariño. Tengo la fecha grabada aquí.

Se da un golpecito con mi mano sobre el pecho y me da un beso dulce en la frente. Nadie hace ni una foto. Eso no es interesante, aunque podría servirles para chismorrear: «¿Fainoah han perdido la chispa?».

—Buena suerte —le digo a la espalda de mi novio mientras vuelve a desaparecer dentro del estudio, tocando un instrumento invisible.

Respiro hondo y mantengo la cabeza alta. Pero no demasiado. No tanto como para parecer arrogante, ni mimada, ni que me creo mejor que nadie. Simplemente lo bastante como para parecer una chica confiada, con los pies en la tierra, que está segura y feliz en su relación.

Me abren la puerta de la limusina.

«La cabeza alta, la cabeza alta. Sonríe, sonríe, confiada, confiada.»

Entro, la puerta se cierra y me desplomo, agotada, tras los cristales tintados.

—¿A casa? —pregunta John.

—Sí, por favor. —Cierro los ojos—. A casa.

8

Sigo vestida de blanco.

Solo que ahora es una sábana atada al cuello, con un enorme sombrero de mamá con el ala demasiado ancha y unos zapatos de tenis gastados que me quedan demasiado grandes. Estoy de pie sobre una caja puesta del revés en el centro de una habitación, medio tapada —medio escondida— por la enorme ala del sombrero.

¿Con un... candelabro?

—Y, dígame —el chico se coloca la bufanda verde esmeralda—, ¿dónde estaba a las seis y treinta y ocho de la noche de ayer? Es una pregunta muy simple, *madame*.

—Yo...

—¡No respondas! —Una niña pequeña con un jersey turquesa enorme y unos calcetines azules se pone de pie de un salto y balancea en el aire el tubo de una aspiradora—. ¡Es una atrosquidad! ¡No tienes por qué responder nada!

—Usted no es la abogada de esta buena señora, señora P. —Suelta una risilla—. Usted también es sospechosa.

—Pues... ¡usted también! Además, tu... llave inglesa es basura..., ¡orejas de mono! ¡Hala, ya lo he dicho!

—Di que sí, pajarillo. A por él.

Levanto el ala del sombrero con un dedo para poder ver mejor mientras alguien le saca la lengua a un chico que lleva un abrigo de piel amarillo chillón con un cinturón de color mostaza.

—¿Podemos tomárnoslo en serio? —Bajo un extravagante sombrero rojo, unos ojos brillantes analizan como si nada una daga de plástico—. La función es esta noche y todas las personas que son alguien en la vida van a venir.

—Estaba... —Carraspeo y miro alrededor del polvoriento ático.

Todos me miran. Noto cómo aumenta el pánico. ¿Dónde estaba a las seis y treinta y ocho de la noche de ayer? ¿De quién es este candelabro? ¿Por qué lo tengo yo?

«¿Fui yo? ¿Soy culpable?»

—Estaba... Estaba... Yo... —Se me acelera la respiración y se me encienden las mejillas. De repente, me pongo las manos en la cara—. Yo no... No sé... ¡No lo recuerdo!

Silencio.

—Ella sabe que es inocente, ¿verdad? Quiero decir, está en el guion. ¿Está a punto de confesar un espantoso asesinato que no cometió?

—Fantástico. Lo va a arruinar todo.

Unos zapatos de deporte morados y fangosos aparecen en mi campo de visión.

—Tú, baja del escenario.

Obedezco, abrumada.

—Ovíllate en el suelo y respira.

Hago lo que me dicen.

—Ahora cierra los ojos y concéntrate, ¿de acuerdo? —La voz es grave y áspera—. Eres una esfera perfecta. Eres luminosa y rugosa. Eres dulce y estás separada en gajos. Tienes pepitas y estás riquísima con chocolate. ¿Sabes qué eres?

Cierro muy fuerte los ojos.

No. ¿El qué?

—Si no eres capaz de convencerte a ti misma de que eres una naranja, no puedes convencer a nadie de que eres nada. —Oigo una risa seca—. Levántate y vuelve a intentarlo.

«Sé la naranja.»

—¡SOY INOCENTE! —grito, apartándome el sombrero de mamá de la cara mientras mis frases van volviendo a mi cabeza—. ¡Fue él, con la llave inglesa, en el invernadero! ¡Yo lo vi! ¡Usted es el asesino, señor! ¡Confiese!

Todo el mundo empieza a aplaudir.

—Por fin, con eso bastará, ya puedes bajar.

Llega el turno de la chica de rojo. Me aparta de la caja con los ojos en blanco y comienza su monólogo de tres páginas, escrito por ella.

Me giro hacia mi salvadora morada.

La profesora me guiña un ojo —orgullosísima y encantadora— y luego, despacio, empieza a convertirse en polvo.

En pintura.

En témperas lilas, violetas y lavanda: se derrite en el aire, gira en un círculo amatista antes de ir hacia la ventana, y me doy cuenta de que está abierta y salto todo lo alto que puedo para intentar cerrarla, para que el color se quede en mis manos, pero el morado se cuela entre mis dedos, se desliza por mis brazos y se filtra por todo mi cuerpo y no puedo, no sé cómo... No puedo evitar...

No puedo sujetarla...

No puedo...

No...

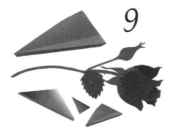

9

Me inclino hacia delante con un sobresalto.

—¿Dónde estoy? No, no, ¿qué hora es?

Me examino las manos. Miro a mi alrededor. Sigo en la limusina. Echo un vistazo a través de las ventanas tintadas.

Estamos parados al final del sendero de mi casa, pero el sol está bajo y rosado. ¿Cuánto tiempo llevo dormida? No puede ser. Me he saltado el horario de publicación del resto de las fotos de Genevieve, tengo que ducharme, ponerme la mascarilla, lavarme el pelo, secármelo, vestirme, prepararme, maquillarme, aprenderme otro guion, llamar a Noah, planear lo de mañana...

Ay, no. Ay, no. No, no, no...

—Me han dicho que la deje dormir, señorita. —El conductor baja el periódico y me mira por encima del hombro—. Su abuela consideró que lo necesitaba.

Sonrojada, cojo el teléfono: las 17.30. La lucecita azul no para de parpadear como un ojo indignado.

LLAMADA PERDIDA: Hope

LLAMADA PERDIDA: Hope

50

LLAMADA PERDIDA: Hope

LLAMADA PERDIDA: Hope

LLAMADA PERDIDA: Hope

¿Dónde estas? ¡¡¡VEN A CASA YA!!! Po 😊 Bss.

Eh, hermana, ¿estás con tu nobio? ¡Te necesitamos aquí! Max. Bs.

LOL, quería decir novio*. No me juzgues. Max. Bs.

LLAMADA PERDIDA: Hope

LLAMADA PERDIDA: Hope

LLAMADA PERDIDA: Hope

Hola, Faith:

Ya me han respondido de la audición.

Han decidido seleccionar a otra persona, pero querían agradecerte que te hayas presentado. Me han dicho que lo has pasado un poco mal, así que vuelvo a sugerirte que nos centremos en papeles más pequeños, con la intención de ir subiendo gradualmente. Es una forma consolidada de construir una carrera duradera en la industria del cine y, además, te permite perfilar tu talento de forma constante.

Espero que no estés decepcionada.

51

Te adjunto otro guion para unas pruebas el mes que viene.

Persephone.

LLAMADA PERDIDA: Hope

LLAMADA PERDIDA: Mercy

Se me salen los ojos de las órbitas. ¿Mercy?

Ni siquiera estaba segura de que tuviera mi teléfono. Cada vez que discutimos, saca el móvil y borra mi número.

Le doy las gracias a John, salgo del coche y corro hacia la casa. Ya me preocuparé luego de la audición, ya he reservado en la agenda una hora entera, a eso de las tres de la madrugada, para quedarme tumbada mirando al techo con ansiedad e ir asumiendo ese mail.

—¡...CASA! ¿CÓMO TE ATREVES A VENIR AQUÍ Y...!

—¡HIPOTECA! ¡Y LAS FACTURAS! Y...

—ESTA FAMILIA DURANTE CIENTOS DE AÑOS, Y AHORA QUIERES TRAER A TU MUÑEQUITA A MI...

—ROZ NO ES UNA...

—TU CHICA. TU ROLLO. ¿MEJOR ASÍ?

—¡DEJA DE COMPORTARTE COMO UNA NIÑA, JULIET! NO HE SUGERIDO EN NINGÚN MOMENTO...

—¡NO ME VENGAS CON ESAS! NO VOY A PERMITIR QUE ME HABLES COMO SI FUERA UNA...

—¡PUES NO TE COMPORTES...!

Entro en el salón mordiéndome el labio.

Es como viajar en avión. Estás tan relajada leyendo *Variety* y comiéndote la cena y, de repente, entra en una nube tan oscura y densa que no ves absolutamente nada. Solo notas los temblores y el descontrol mientras todo empieza a vibrar y terminas con la comida desparramada por las piernas.

Mi madre y mi padre son la nube.

Mamá, delgada y preciosa y plateada y eléctrica —haciendo crujir las clavículas, los nudillos y la barbilla— mientras papá ruge, grave e intenso, unos segundos más tarde.

A mi derecha, Max está tirado en el sofá: comiéndose una manzana y fingiendo que no le importa lo que está pasando, con las largas piernas estiradas y las gafas de sol puestas, haciendo como que lee un libro. Hope está sentada en otro sofá, mirando al techo y apretándose fuerte las manos. Mercy está de pie, con un brillo antinatural en los ojos y un color extraño en las mejillas.

Y hasta aquí ha llegado el «divorcio amistoso», chicos. ¿Por qué los actores y directores necesitan tener público para absolutamente todo?

—¡YA HEMOS HABLADO DEL TEMA! —explota papá—. ¡JULIET, LO COMENTAMOS DETALLADAMENTE HACE CINCO DÍAS! ¿A QUÉ VIENE ESTO? ¿POR QUÉ TIENES QUE CONVERTIRLO SIEMPRE TODO EN...?

—TRAER A ESA MUJER Y REMPLAZARME COMO SI FUERA UNA...

—¡NO ES ESO! LOS ADULTOS NO SE COMPORTAN ASÍ.

—...TE ATREVAS A DECIRME CÓMO SE COMPORTAN...

Po me ve y se levanta de un salto, como el muñeco de una caja sorpresa sobrecargada.

—¡Eff! —Viene corriendo y sujetando una bolsa de tela con el escudo del colegio bordado—. ¡Mira! ¡Me han dado un estuche de la marca del colegio! ¡Te lo dije! ¡Y hay un grupo de teatro y he conocido a una chica que se llama Olivia! ¿A que es una locura? Es Piscis, como tú, así que somos supercompatibles. Creo que va a ser mi mejor amiga para siempre, ¿a que mola?

Eeeh... Yo no soy Piscis, mi cumpleaños es en octubre, soy Libra. Pero no es el momento de hacer esa corrección.

Las mejillas de mi hermana pequeña también están sonrosadas y no para de dar saltitos con la punta de los pies, que es lo que hace cuando quiere estar en otro sitio. Cuando trata de hacer todo lo posible para escapar.

Miro a mis otros hermanos. No sé cuánto tiempo llevan discutiendo mis padres, pero Max me ha mirado por encima de las gafas de sol, y Mercy tiene un tic en la barbilla al ritmo de una manecilla de reloj.

Hay que poner fin a la discusión. Entro en acción rápidamente.

—¡Papá! —Camino con calma, atravesando la densa nube tormentosa, y le doy un beso en la mejilla—. ¿Qué tal el vuelo? ¡Te he echado de menos! ¿Qué tal por California? ¿Ha terminado bien el rodaje? ¿Y Roz? ¿Cómo está?

Y luego me giro hacia mi madre.

—¡Mamá! He conocido hoy a una de tus mayores fans. No paraba de hablarme de cuánto le gustó *En la cumbre* y del enorme talento que tienes.

Me giro hacia mi hermana pequeña.

—¿Po? —Me mira con los ojos muy abiertos, esperando que le dé alguna instrucción—. ¿Podrías prepararnos un té? Max, ¿por qué no subes las maletas de papá? Mercy... —Esta me mira con el ceño fruncido, pero también aliviada: como si hubiera quitado un programa de la tele que odia pero que no puede dejar de ver—, ¿puedes traer unas... galletitas?

Mis padres vuelven poco a poco en sí. Miran confusos a su alrededor, como unos niños pequeños que se acaban de despertar. Papá está avergonzado, y mamá se está apagando otra vez.

No se están peleando de verdad —ya lo sabemos—, pero a veces tenemos que intervenir para evitar que se desintegren por completo simplemente para volver a poner las piezas en orden.

—¿Galletitas? —Mer arruga el ceño—. ¿Que traiga galletitas? No soy un perro. —Pero me mira agradecida y sale del salón.

Se está aliviando la tensión del ambiente.

—Juliet —dice papá con la voz mucho más calmada, girándose hacia mamá con mirada suplicante—, por favor. Por supuesto que no se me ocurriría traer aquí a Roz. Se va a quedar en un hotel en el centro. Simplemente pensé que sería buena idea que os conocierais antes de que los *paparazzi* se enterasen. Recuerda que aún no hemos hecho público el divorcio.

Mi madre levanta la cabeza.

—Bueno. —Tiene los ojos distantes: se acabó el espectáculo—. Podrías haber dicho eso, Michael. Ha sido un malentendido. Es que no tenemos espacio para visitas, me temo.

Tenemos quince habitaciones.

—Mmm. —Papá tose—. He pensado que a lo mejor los chicos quieren venir a cenar conmigo y con Roz para conocerla.

—Yupi... —dice Mer con un tono plano, entrando en el salón con las manos vacías y la boca llena de galletas—. Tu nuevo acompañamiento parece una auténtica delicia, papá.

—¡Pues sí que lo es! —grita Po detrás de ella, derramando tres tazas de té sobre la moqueta blanca—. ¡Roz es increíble, Mer! Es suuuperamable y suuuperinteligente, y tiene unos pantalones cortos con un millóóón de bolsillos y, por Dior, me muero porque os sicoanalice a todos. Sobre todo a ti, Max.

—Genial. —Él se ríe—. Sinceramente, es posible que yo sea el más fascinante de los Valentine.

—Qué va —le replica Mercy—. Solo te crees que lo eres.

Y noto cómo mi familia se va recalibrando poco a poco: vamos encontrando nuestro sitio, recordando nuestras frases, volviendo a nuestras posiciones.

—Por supuesto. Y me encantaría ir con vosotros —dice mamá con frialdad—. Pero la loquera estadounidense que no entiende de moda tendrá que esperar a que le firme un autógrafo en otra ocasión.

Y sale de la habitación con la espalda bien recta.

—¡Caramba! —Max susurra mientras nos adentramos todos en el pasillo—. Bien jugado, Eff. Cinco minutos más y habríamos terminado con nuestro propio *reality*. Que, por cierto...

La verdad es que no me encuentro demasiado bien, como si hubiera aspirado la nube negra de la habitación, porque en algún sitio tenía que terminar. Y ahora se encuentra en mi pecho, como un montón de alquitrán denso y pegajoso.

Me suena el teléfono y miro la notificación.

—Faith —dice mi hermano cuando me siento en un escalón y me ato los cordones de las deportivas—. Hermanita... Por favor, dime que no vas a volver a salir a correr.

Lo miro con el ceño fruncido. El ejercicio viene bien, todo el mundo lo sabe.

—Necesito un poco de aire fresco.

10

Respiro con dificultad mientras sigo el río.

Pisoteando el camino que comienza en el borde de nuestro jardín, intento centrarme en el aire de mis pulmones y en el sonido sordo de mis deportivas sobre el fango. En los colores apagados del día, los preciosos plateados y grises y «Pero ¿qué narices...?».

Céntrate en el bombeo de tu sangre, Faith. En la presión de las piernas, en el calor de tus mejillas.

Respira. Respira. Respi...

A ver, ¿es una puñetera broma? Fui al estudio porque Noah me llamó. Yo le dije que se centrara en escribir.

Rodeo un árbol, salto por encima de un tronco.

No es mi novio «intermitente». Ha estado de gira.

Empiezo a correr más rápido impulsada por la rabia. No me puedo creer que hayan tergiversado sus palabras una vez más. Giro a la izquierda y me adentro más en el bosque. Ese «Necesito tiempo para mí» está totalmente sacado de contexto, pero, aun así, han conseguido usarlo como prueba. Fotos poco favorecedoras para mí, en las que parezco hostil y en las que a Noah se lo ve agotado y superpaciente.

Respira. Respira. Res...

En ningún momento han tenido la intención de publicar el beso de película que nos dimos, ¿verdad?

«Pareja aburrida se besa por enesimotercera vez» no vende. Y sé que da igual, no pasa nada, solo son fotos, no importa, qué más da...

Solo que no da igual.

Voy a tener que mirar esas fotos una y otra vez: cuando las peguen en mi libro de recortes, cuando las analicen en las revistas, cuando una de sus fans grite: «¡TRÁTALO MEJOR!» al salir de un restaurante. Cuando escriban «De relax con la tranquila Avery» junto a una foto de Noah de gira con alguna de las preciosas bailarinas; o cuando aparezca un papel importante y elijan a alguien aparentemente menos diva que yo.

Seguro que estarán ahí cada vez que vaya con Noah de la mano en público y luego la suelte por temor a resultar patética; cuando me incline para darle un beso pero me arrepienta por si pudiera parecer desesperada.

Y cada artículo, cada foto, cada titular, calará en nosotros, describirá una versión que no somos pero que, en algún punto, los dos nos empezaremos a creer. Hasta que la distancia entre la realidad y la ficción sea demasiado grande para saltarla, justo como ha pasado con mis padres.

Sigo corriendo y me rozo con una rama. Noto cómo se engancha y rompe el estúpido vestido.

Yo les daré furia, si eso es lo que quieren.

Pero no lo haré, evidentemente.

Me paro en seco, me limpio la nariz y saco otra vez el teléfono. Miro la foto del perrillo de Genevieve. Tengo que publicar un selfi cuanto antes o el mundo pensará que me he escondido por la humillación.

Sujeto el teléfono sobre mi cabeza, sonrío alegre, sacando a relucir el hoyuelo.

Clic.

Examino la foto. En el fondo se ve una bolsa de patatas, así que la recojo, me la guardo en el bolsillo y lo vuelvo a intentar, bajando un poco la barbilla.

Clic.

Esta vez mi frente parece enorme.

Clic.

El ojo izquierdo está medio cerrado.

Clic.

Demasiado escote. A ver si consigo una foto decente y apropiada.

Clic.

Tensa y desesperada.

Clic.

¿Controladora?

Clic.

Loca como una cabra.

Clic.

¿Sabes eso de que si repites una palabra una y otra vez empieza a perder su significado y comienza a sonar como un ruido? Eso es lo que le está pasando a mi cara, más o menos.

Clic.

Está empezando a parecer un montón de formas raras.

Clic.

Unos cuantos manchurrones color avellana, un bulto en relieve, labios hinchados rosas, unos cuantos borrones marrones y un poco de pelusa.

Clic.

Hasta que tengo la sensación de que podría recolocar todas mis facciones como si fuera un Señor Potato: ponerme los labios en la frente y empujarme los ojos hasta las orejas, o darme la vuelta a la nariz.

Clic.

¿Te gustaría, Instagram?

¡Una tarde preciosa! ¡En momentos como este parece que el corazón me vaya a explotar de felicidad! ¡Que tengáis una noche fantástica!

Y... PUBLICAR.

Aparecen otras dos notificaciones en la pantalla:

¡SALUDOS DE PARTE DEL T-ESTERO! ¡HAY GRANDES NOTICIAS!

¡Nuestra *celeb* favorita, EFFIE VALENTINE, volverá al mercado muy pronto! Las estrellas del pop son idiotas e incapaces de conservar a una mujer de verdad. Todo el mundo sabe que las BUENOOORRAS no son fáciles. Si a él no le importa, ¡me pongo a la cola! Llámame, Effie. Mi número está en la página de CONTACTO.

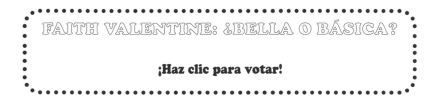

FAITH VALENTINE: ¿BELLA O BÁSICA?

¡Haz clic para votar!

Por el amor de...

Es como si fuera un coche descapotable comprado por impulso: atractivo en el concesionario, pero requiere tanto mantenimiento que termina olvidado en un garaje, cubierto con una sábana.

Empiezo a sentir náuseas. Trago el nudo que tengo en la garganta y le envío un mensaje a Noah.

Hey. Vaya tela con los titulares, ¿no? ¡Aaah!
LOL. Bss.

Otra notificación.

¡EL FOSFORITO VUELVE A ESTAR DE MODA!

¿Un vestido blanco y un sujetador deportivo fosforito? ¡Nos encanta! La desafortunada en el amor Faith V. ha sido la última celebridad a la que se ha visto mostrando su ropa interior. Para una versión más asequible, haz clic AQUÍ, AQUÍ y AQUÍ.

Esta vez me río de verdad.

No os vistáis como yo, chicas. Os estáis dejando aconsejar indirectamente por una señora de setenta años con fular y una chica que se ducha a menudo con toallitas húmedas.

Ping.

> YA, ¿EH? Aunque estás preciosa, ¡no te
> preocupes! N. Bss.

Me quedo mirando perpleja el mensaje de Noah. No es exactamente lo que pretendía... Y le respondo.

> Oooh. Gracias. ☺ ☺ ☺ Bss.

A continuación, sin ninguna sonrisa en la cara —y mucho menos tres—, vuelvo a meterme el teléfono en el bolsillo.

Y sigo corriendo.

LLAMADA PERDIDA: Persephone

LLAMADA PERDIDA: Abuela

LLAMADA PERDIDA: Persephone

Hola, Faith:
Por favor, llámame en cuanto puedas.
Persephone

LLAMADA PERDIDA: Persephone

LLAMADA PERDIDA: Persephone

Faith, cierto periodista de cine está
desesperado por hablar contigo. Por
favor, llámame cuanto antes.
Persephone

LLAMADA PERDIDA: Abuela

LLAMADA PERDIDA: Noah

Ey, cariño. ¡Acabo de ver la prensa! ¡TE
LO DIJE! Eres la mejor. N. Bss.

Eeeh... TÍA. Max.

¡¡¡¡¡¡Sí sí sí sí sí sí sí sí sí sí sí sí sí sí sí
sí!!!!!!

Po bssssssssssssss.

¿Qué coj...?

Mercy cree que su voz narrativa se reconoce al instante,
así que no suele firmar sus mensajes. Me incorporo de golpe
y me quedo sentada en la cama, mirando la alarma, embobada.

Son las diez de la mañana. Ayer debí de correr tan rápido
y durante tanto tiempo que he conseguido dormir profundamente y no he escuchado el despertador, ni mi reloj biológi-
co, ni los pájaros, ni el teléfono sonando sin parar. La luz
parpadea tanto que parece que va a salir volando como un
fuego artificial.

Me giro rodando: el lado izquierdo de la cama está arrugado y hay restos de delineador de ojos en la almohada. Seguramente Mercy haya venido a dormir y se haya ido sin
que me diera cuenta.

Con el pelo enmarañado, cojo la bata y me deslizo escaleras abajo haciendo que ondee como su fuera una capa.

—¡Aquí viene! —Max aparece alegremente en la puerta
de la cocina, comiendo mermelada de fresa directamente del
bote—. Faith Valentine, mega estrella, icono, sirena, en su

versión mañanera, que se completa con una frente grasienta y un moco en la nariz.

Me lo quito de forma disimulada.

—¿Qué ha pasado? —Agarro a mi hermano por la camiseta—. ¿Puedes dejar de hacer bromitas de una vez y decirme qué sucede?

—No me toques con la mano llena de mocos. —Se ríe, y se echa hacia atrás—. Por lo visto, la gente te considera ligeramente atractiva, Effie. Es un auténtico misterio que no logro comprender.

Es evidente que no voy a obtener ninguna respuesta del idiota de mi hermano, así que me dirijo a las demás. Po se mueve impaciente en su silla —sonriendo espléndida— y a Mercy nunca la había visto tan enfadada. Veo cómo le pasan los pensamientos negativos por delante, como si fueran nubes a punto de estallar.

—¿Qué? —Me quedo mirándolas—. ¿¡Qué!?

Es muy frustrante: suelo ser yo la que sabe siempre lo que sucede en esta casa.

—¡Por el amor de Dios! —le grito al techo—. ¿PODRÍA DECIRME ALGUIEN POR FAVOR POR QUÉ NO PARA DE SONARME EL TELÉFONO?

Hope abre una revista, sonriente. La deja sobre la mesa con un gesto dramático acompañado de una floritura deliberada; abre otra y hace lo mismo; y otra; y otra. Mi cara está impresa en todas y cada una de ellas, pero esta vez no salgo enfadada, ni con la boca manchada de comida.

Salgo serena, sin un solo poro visible —Photoshop por un tubo, autorizado por la abuela—, y los titulares rezan:

UNA VALENTINE PARA EL PERSONAJE
DE TODA UNA DÉCADA

¡TEN UN POCO DE FE! LA REINA
DE HIELO LISTA PARA ACTUAR

LA BELLEZA INGLESA VENCE A
LAS CANDIDATAS ESTADOUNIDENSES

Me quedo mirándolos ojiplática.

—¡Lo has conseguido! —Hope se pone de pie de un salto y me abraza por la cintura—. ¡Has clavado tu primera audición! Effie, estoy tan orgullosa que podría explotar. Sabía que ibas a ser una estrella de Hollywood, ¡y ahora estás un paso más cerca! Cuando ganes tu primer Oscar a la mejor actriz revelación, ¿saldrás en mi primera película, por fi? Te prometo que habrá sándwiches de categoría.

Miro a Mercy.

—Bueno —dice muy seria—, parece que las auténticas habilidades ya no significan nada para la industria.

—Mercy... —Max me pone una mano protectora sobre el hombro—. Por el amor de todos los unicornios, ¿puedes descansar un poco de ser un auténtico monstruo y alegrarte por tu hermana pequeña, aunque solo sea durante cinco minutos? Considéralo un descanso. Danos un poco de tiempo para que podamos revitalizarnos.

—Está bien —dice Mer mirando a la mesa—. Bien hecho, es muy emocionante y te lo mereces, etcétera.

Tengo la cabeza como si estuviese rellena de calcetines de cachemir.

—No lo entiendo. —Mi voz suena ronca—. ¿Qué papel? ¿Se refieren a *Quincena de terror*? Pero si lo hice fatal. Lo dijeron ellos, yo los escuché.

—Pues te confundiste —dice mi hermano contento, ofreciéndome el tarro de mermelada—. ¿Azúcar? Para el *shock*.

Cojo una revista y la examino detenidamente.

Por sorprendente que parezca, Faith Valentine ha sido confirmada como la clara favorita para el denominado «mayor papel adolescente de la historia».

—Esto es muy gordo —confirma una fuente—. *Quincena de terror* ya estaba creando revuelo, pero esto la va a llevar al próximo nivel.

Hija de la sobresaliente Juliet Valentine y del director ganador del BAFTA Michael Rivers...

Leo más rápido. Sí, ya conocemos mi pedigrí, gracias. No soy un perro de exhibición.

Un momento...

—Tiene muchísimo talento —confirma encantado su novio, Noah Anthony—. ¡Y ella piensa que es una actriz horrible! Le preocupa no estar a la altura. Qué tontería, ¿verdad? Además, es preciosa. Son muy afortunados por tenerla.

¿Cuándo han hablado con Noah?

—Veo que tu encantador novio vuelve a estar a tope —dice Mercy cortante—. Qué detalle por su parte opinar antes que tú.

La miro frunciendo el ceño —«Déjalo ya»—, cojo mi teléfono y pulso el botón de llamada.

—¿Persephone? —Me doy la vuelta y me tapo el oído con el dedo para no escuchar cómo Max le da golpecitos a Mercy en la frente—. Hola. ¿Es verdad? ¿He conseguido otra audición?

Se escuchan ruidos al otro lado.

—...Sí —Mi agente responde con brusquedad. Tiene un aire como de sargenta del ejército: el parloteo nunca es bien recibido. Ruido—... error administrativo. —Ruido—... fase final. —Ruido—... mañana por la mañana. —Ruido—... detalles.

La cobertura en esta cocina es malísima.

Levanto el teléfono e intento meterme entre el hueco de la nevera y la pared para poder escuchar mejor a Persephone.

—Sí. —Escucho decir a Po de fondo—. Voy a grabar a todas las personas que conozca el primer día de clase...

—Pero... —Debí de entender mal al director de casting. ¿Escuché algunas palabras clave y rellené los espacios con mi propia negatividad?—. ¿De verdad crees que puedo...?

—Han enviado —ruido—... escena diferente. —Persephone no tiene tiempo para alimentar mi ego—. Fuera del guion. —Ruido—... que aprendértelo.

—Pero es que esta noche es... —me callo a mitad de frase—. Claro. Por supuesto.

—¡No puedes hacer un casting de amigos! —Max se ríe de Po.

—¡Claro que puedo! —responde indignada—. ¿Cómo voy a saber si no cómo dan en cámara para cuando filmen la película sobre mi vida?

Max se ríe más fuerte.

—No te pusimos papel de burbujas suficiente, hermanita.

Con una mirada fulminante por encima del hombro los mando callar y me aprieto más en el hueco de la nevera.

—...una serie de peticiones. —Ruido—...entrevistas —continúa Persephone—... pero —ruido—... exclusivamente. —Se escuchan un montón de teléfonos sonando de fondo—. Así que —ruido—... contigo en una media hora.

—¿Qué? —digo alarmada.

Según el tráfico.

—¿Conmigo? —Echo un vistazo a la cocina. Hay mantequilla de cacahuete en el suelo—. ¿En mi casa? ¿Aquí?

—Sí. Para ver cómo vives. —Ruido—. El interior de Faith Valentine.

Se me cierra la garganta.

—Ah. Yo...

—Faith, no nos podemos permitir perder esta oportunidad. —Ruido—. Quieres trabajar en la película. Los artículos personales —ruido—... llamar la atención de las personas adecuadas. Sé tú misma y haz del mundo tu ostra.

Abro la boca para hablar.

—Te tengo que dejar —finaliza bruscamente Persephone—, tengo a Tom en la otra línea. Ya sabes cómo es. —Ruido—¡... luego!

Y el teléfono se queda en silencio.

12

«Sé tú misma.»

Como si no tuviera una carpeta con respuestas preaprobadas que ha escrito la abuela y que he ensayado hasta la perfección todos los miércoles desde hace prácticamente un año.

Color favorito.

Comida favorita.

Película favorita.

Helado favorito.

Raza de perro favorita.

Música favorita.

Estación del año favorita.

«Ser yo misma» requiere una gran capacidad de memoria, concentración y papel perforado.

Miro nerviosa mi reloj.

No tengo tiempo para llamar a Noah, así que le envío un mensaje rápido:

> ¡Qué locura! ¡Ahora mismo estoy hasta arriba! Pero nos vemos luego, ¿no? ¿A qué hora y dónde? Bss.

Treinta segundos después:

¡Claro, preciosa! Nos vemos a las 4 en
Covent Garden. ¡Qué ganas! Te quiero
mucho mucho mucho. Bss.

Sonrío y respiro hondo.

Yo también te quiero
mucho mucho mucho. Bss.

Y entonces vuelvo a entrar en pánico. Maggie, nuestra
asistenta, lleva toda la semana fuera porque ha venido Ben,
su hijo, de visita, y el resultado es...
En fin. Ya veo cómo va a ser el artículo:

**En el interior de su glamurosa mansión de muchi-
millones de libras, los Valentine se descomponen
lentamente en un caldo de su propia porquería.**

—¡Arriba! —le digo a Max, que está tirado en el sofá con
las manos detrás de la cabeza y se queda mirando cómo doy
vueltas de un lado para otro de la habitación—. ¡Levántate!
Pero se acurruca más, moviendo el trasero como si fuera
un gatito a punto de atacar a su presa.
—Venga ya, Max, por favor. —Con un esfuerzo conside-
rable, levanto al larguirucho de mi hermano. Hay pasta al
pesto seca entre los cojines—. Va a llegar una periodista en
cualquier momento. No pueden ver que vivimos así.
—¿Por qué no? —Se ríe—. Aunque seamos famosos, ricos y guapos, sobre todo yo, no dejamos de ser adolescentes,
no es que limpiemos mucho; que se note.
—No. —Sigo rebuscando: un palito de zanahoria arruga-

do—. No quiero que se nos conozca por eso, Max. Y mamá sigue arriba, ¿recuerdas? ¿Queremos hacer público que es evidente que no está bien sin papá? ¿Que estamos básicamente solos en casa?

Silencio.

—Te lo compro. —Max se levanta del sofá y da una palmada—. No quiero que los de servicios sociales nos envíen a *Masterchef Celebrity* o algo así. Tengo que... irme... a aprender cómo se enciende una aspiradora.

Mientras tanto, Po está dando vueltas por la habitación, pasando la mano por las superficies polvorientas.

—Ya sé que te entrevistan a ti, Effie, pero ¿crees que podrías mencionar mis futuros proyectos? Déjalo caer de forma casual. En plan, «Mi hermana, la importante directora Hope», o algo así: «Mi hermana, futura directora de...».

—Hope. —La agarro por los hombros—. Cariño. Te quiero y te prometo que diré algo de ti, pero, por favor, ¿puedes ir a cerrar la puerta de la cocina?

—*Me wi* —dice alegre—. Es «Estoy superemocionada, wiii» en francés.

Cuando se ha marchado, miro hacia arriba.

Mercy está de rodillas limpiando en silencio las manchas del té que derramó Hope ayer. Me da un vuelco el corazón. Así es como se disculpa una hermana mayor. No pide perdón por insultar a tu novio o por meterse con tus capacidades teatrales, con tu apariencia o con tu personalidad.

Tiene cuidado de no despertarte cuando estás muy dormida o se pone a limpiar con una bayeta húmeda.

Mer levanta la mirada del suelo y me sonríe.

Yo le devuelvo una sonrisa agradecida. Luego voy directa al pasillo, me quito la bata, me pongo un vestido ajustado del armario de los obsequios de los diseñadores, me suelto los rizos, me muerdo los labios y me pellizco las mejillas como si estuviera en *Lo que el viento se llevó*.

Llego a la puerta justo en el momento en el que llaman al timbre. Trago saliva y me quedo un momento parada con la mano en el picaporte.

«Recuerda, Faith. Eres el futuro de las Valentine. Es una carrera de relevos que lleva cientos de años disputándose, y ha llegado el momento de que tú cojas el testigo.

»Que. No. Se. Te. Caiga.»

Echo los hombros hacia atrás y abro la puerta. La periodista de hoy, Rani Basu, es una mujer imponente, con gafas de pasta negras, melena corta azul y negra y una expresión ambiciosa. Está guapa. Seria. Y, lo más importante, parece —y me doy cuenta de esto con un repentino impulso de optimismo— que va a escucharme de verdad.

Esta podría ser mi oportunidad. Se acabaron las citas de Noah, y las hipótesis, y las fotos «reales» que no reflejan en absoluto la realidad. Es mi entrevista y puedo decidir lo que se escribe. Para esto es para lo que me han formado.

Por fin.

—Hola. —Sonrío triunfal—. Soy Faith Valentine.

—Y este es el pasillo de la planta de abajo —digo, haciendo un gesto con la mano—. Ese reloj era de mi abuelo, lo compró mi bisabuela Pauline en...

Se abre la puerta de la cocina y aparece la cara expectante de Hope. Doy unos pasos rápidos para ponerme detrás de la periodista y asiento hacia Po, que vuelve a desaparecer.

—...1920, justo antes de ganar el primero de sus múltiples premios de la Academia. —Guío con calma a Rani hacia el salón. La abuela fue muy previsora al indicarme el orden en el que tenía que enseñarle las habitaciones. Incluso me dio un plano—. Por aquí está el comedor formal. Aquí es donde la familia Valentine se reúne en Navidad, cumpleaños —peleas a gritos— y celebraciones en general.

—Ah, sí. —La periodista asiente y anota algo en un cuaderno—. Quería preguntarte precisamente por eso. Tu madre acaba de salir de rehabilitación, pero, hasta donde yo sé, todavía no se la ha vuelto a ver en público, ¿está muy enferma aún? Y tu padre vive en Estados Unidos, ¿verdad? ¿Son ciertos los rumores de que tiene una aventura y se va a divorciar de tu madre?

Sonrío alegremente.

«Muchísimas gracias.»

—Mi madre está fenomenal. —Mentira número uno—. Se encuentra sopesando algunos futuros guiones. —Mentira número dos—. No ha habido ninguna aventura y no habrá divorcio. —Mentira número tres—. Todo va de maravilla.

JajajajajajajajaJAJAJAJAJAJAJAJA.

Con la cabeza bien alta, me desplazo hacia la sala de cine y abro la puerta.

—Como una de las dinastías cinematográficas más vitoreadas del mundo —la abuela estará encantada de que haya dicho eso—, los Valentine tenemos una estancia entera dedicada exclusivamente a nuestro amor por el arte de la interpre...

—No tiene que haber sido nada fácil —Rani insiste con agresividad—. ¿No han pasado exactamente dos años desde...?

—Por el arte de la interpretación —continúo con firmeza, haciendo un movimiento con la mano—: nuestra sala de cine, donde nos reunimos a menudo para revisar juntos el trabajo...

Cierro la puerta. Odio esa habitación.

—Y aquí tenemos la biblioteca —digo, abriendo otra puerta—. Como artistas, nos encantan los libros y las obras...

¡GUAU GUAU! ¡AAAUUUUUUUUU!

—¿Tenéis un... perro? —La periodista mira a nuestro alrededor—. No lo sabía.

Yo tampoco.

—Sí —asiento rápidamente. En realidad, es la llamada «secreta» de alerta de Max desde que tiene cinco años—. Dos, de hecho. Huskies. Ah... —Miro detrás de ella—. *Rocket* y... *Libro*. —Un perro que se llama *Libro*, muy bien, Eff—. Son... muy privados, me temo.

Max está en las escaleras.

Vuelve a ladrar una vez más, y señala hacia delante. «Mamá ha salido de su habitación.» Mamá —una de las mujeres más famosas del planeta, con un pijama mugriento, el pelo desaliñado, la mirada vacía y su divertida y recién adquirida costumbre de gritar a la gente— está a punto de encontrarse sin preparación previa con un miembro de la prensa internacional.

—¿Perros privados? —pregunta Rani dubitativa.

—Eh —digo, dándole la vuelta para que mire hacia otro lado—. Sí. Los dejamos ser como son: antisociales, rozan la misantropía. ¿Sabe qué? Creo que lo que de verdad tiene que ver...

Se escucha un ruido en la planta de arriba.

Juliet Valentine, ganadora de un Oscar y la adorada estrella de *Somos un solo corazón*, oficialmente se ha vuelto loca: aquí tenéis la prueba.

—Mi habitación —termino de decir desesperada. Va totalmente en contra de las normas. La abuela siempre dice que es muy inapropiado llevar a un periodista a las zonas privadas, pero ¿qué otra cosa puedo hacer? Es eso, o darle un tour por la lavandería—. ¡Acompáñeme y se la enseño! ¡Será una exclusiva! ¡Nadie la ha visto nunca!

Aparece mamá: tan débil que tiene que agarrarse a la barandilla.

—Queridos —dice con una voz tan suave como una pluma—, ¿hay alguien...?

—¡Venga conmigo! —Entro en pánico, agarro a Rani por los hombros y le doy la vuelta justo cuando se gira para mirar hacia arriba—. ¡Vamos a pasar por el pasadizo secreto del servicio!

Y la empujo lo más rápido que puedo.

13

Cierro con cuidado la puerta de mi habitación cuando entramos y exhalo aliviada. Luego hago como que echo el cerrojo mientras intento recomponer mi cara y poner una sonrisa serena y calmada.

La periodista ha estado a punto de ver a la loca de nuestro ático.

Me doy la vuelta.

—Pues nada. —Miro a Rani con una sonrisa cálida—. Bienvenida a mi refugio. Mi paraíso. Mi retiro espiritual. Aquí es donde repaso lo que tengo que hacer cada día y... me permito ser yo misma.

La periodista echa un vistazo alrededor y se sienta junto a mi tocador.

—Me gusta bailar —continúo—. Mis padres me hicieron instalar este espejo y esta barra cuando era pequeña y practico todas las mañanas. Mi habitación da al jardín, así que me despierto con el sonido de los pájaros al amanecer. Me ayuda a mantener...

—Precioso. —No me está escuchando—. Este nuevo papel...

Asiento y me apoyo disimuladamente en la almohada para esconder la mancha de delineador de Mercy.

—Dígame.

—Se supone que va a ser una de las series más caras de la historia. Se habla de miles de millones. —De repente, soy consciente de la mirada penetrante que tiene la periodista y me siento muy incómoda—. ¿Cómo sienta el ser considerada para un papel tan importante? Sería tu primer trabajo, ¿no es así?

—Sí. —Tengo que ser humilde. Agradecida. Pero también debo parecer segura. Una chica que se valora a sí misma, pero no demasiado. La cantidad exacta de autovaloración—. Sería... mi primer trabajo. Es maravilloso. Estoy muy contenta.

Respiro. Me he salvado.

—Y te está formando tu abuela, la dama Sylvia Valentine, ¿verdad?

No parezcas creída. Muéstrate agradecida.

—Sí, así es.

Hay una pausa larga.

De pronto tengo la sensación de que estoy jugando a Hundir la flota: una frase fuera de lugar y, ¡BUM!, se acabó la partida.

—¿Qué es lo que más te atrae del mundo de la interpretación? —La periodista frunce el ceño—. Es evidente que perteneces a él desde que naciste, pero ¿qué es lo que te ha llevado a seguir los pasos de tu familia?

«Está me la sé.»

—Siempre he querido dedicarme a ello, desde pequeña. —Sonrío amablemente, mostrando el hoyuelo—. Tener la oportunidad de ser tantas personas diferentes, vivir tantas vidas, contar tantas historias... tiene una especie de —finjo buscar la palabra adecuada— ... magia.

Nos quedamos en silencio.

—Entiendo. —Rani vuelve a fruncir el ceño—. Tienes

dieciséis años, Faith, y, aun así, creo que este último año no he visto ni un solo medio en el que no aparecieras tú. ¿Cómo te sientes?

Asiento con una expresión lo más neutra posible.

«Fatal.»

—Me han preparado bastante bien, así que me resulta muy natural. —Mantengo el contacto visual, como me ha enseñado la abuela—. Mi familia y amigos me apoyan muchísimo. Mi novio, Noah Anthony, es una parte muy importante de mi vida. Estamos muy unidos, somos indestructibles, sólidos como una roca, y soy muy afortunada por poder compartir esta experiencia con él.

Rani escribe algo y me relajo al instante. Adelante, publique eso, señora.

Puede que algunos detalles extra ayuden a crear mejores titulares.

—De hecho, ¡hoy es nuestro aniversario! Un año. Noah ha planeado una cita superromántica. Es muy dulce y le gusta mucho hacer ese tipo de cosas.

¿Parezco una princesa exigente?

—Yo también hago cosas bonitas por él, claro. —Me apresuro a añadir—. Nuestra relación es muy igualitaria. Equilibrada. Equitativa. Lo quiero muchísimo. Sí. Mucho, mucho. Él es mi mundo entero.

«Te has venido muy arriba, Faith.»

—Bueno, mi mundo entero no —corrijo, tragando con fuerza. «Por el amor de Dios. Por eso te han dicho que te ciñas al guion»—. Pero sí una... una parte de él. Como... Rusia. O China.

—En *Vogue* te han descrito como una de las mujeres más guapas del planeta. —Rani mira sus notas sin ningún tipo de expresión—. Otra revista afirma que tienes «la cara de un ángel». ¿Cómo te afecta eso? ¿Es una carga o un privilegio?

Me quedo mirándola sorprendida. ¿Qué se cree que hago? ¿Contemplarme en el espejo todas las mañanas y chocar los cinco conmigo misma? Tengo el aspecto que tengo: un montón de rasgos y partes del cuerpo que suelo ignorar a no ser que me meta con ellos o los maquille.

También es una pregunta trampa. Si lo confirmo, estaría aceptando públicamente que soy preciosa —NO, NO Y NO—; pero si protesto, parecerá que busco más piropos: a nadie le gustaría.

—No estoy muy segura. —Sonrío y me encojo de hombros.

Nos quedamos unos segundos mirándonos.

—Noah Anthony ha dicho que crees que no eres buena actriz. —La periodista no pestañea. Me siento un poco más recta en la cama—. Una «actriz horrible», han sido sus palabras. Que «no estás a la altura». ¿Es cierto?

Por el amor de... La abuela va a matarme.

—Bueno. —Pongo una expresión tierna, pero un poco frustrada—. Estos chicos, cómo son —Y me río—. En la familia Valentine hay mucho talento, es complicado no sentirse abrumada de vez en cuando.

Estoy segura de que se me está escapando algo.

—Por ejemplo, mi hermana Hope —añado rápidamente—. Va a ser una directora de cine famosísima, como mi padre. Espere y verá.

No escribe nada. «Lo siento, Po.»

—Pero —Rani se echa hacia atrás en la silla y me mira detenidamente— ¿qué es lo que te define? Eso es lo que de verdad quieren saber nuestros lectores.

—Pues... —Sonrío con calma—. Mi comida favorita es el sushi, mi helado favorito es el de caramelo salado, mi estación del año favorita es el verano y mi color favorito es...

—No me refiero a eso —interrumpe la periodista.

Se me empieza a cerrar la garganta.

La mujer, a la que conozco desde hace exactamente diecinueve minutos, se inclina hacia mí y entra en mi espacio personal. Me empiezo a arrepentir de haberla traído a mi dormitorio.

—Quiero saber quién es la Faith de verdad —continúa Rani—. La que no está bajo los focos ni en los titulares, ni en las alfombras rojas ni en las fotos inspiradoras de batidos. ¿Quién es Faith Valentine?

Estoy empezando a enfadarme mucho. Y durante una fracción de segundo me entran ganas de darle un cabezazo. Quiero agarrar a esta tía del cuello y darle un puñetazo en toda la cara.

«¿Cómo se atreve a preguntarme eso?»

Pero hago aparecer el hoyuelo.

—Ah —digo, mordiéndome el interior de la mejilla lo más fuerte que puedo—. Pues, no sé, soy una chica muy normal.

14

¿Con qué tratas a un pájaro enfermo?

Con píocetamol.

Lo he clavado.

En cuanto se va la periodista, vuelvo a mi habitación y repaso el sinfín de posibles construcciones e interpretaciones que se le podrían dar a mis frases.

Estoy segura de que no he dicho nada demasiado tonto o polémico o fascinante. No he sido demasiado cálida ni demasiado fría. Y no le he causado lesiones graves a nadie —¡Hurra!—. Parece que los miércoles con mi abuela han merecido la pena, a pesar de todo.

Aunque mi helado favorito es el de menta con chocolate. Y mi estación del año favorita es el otoño.

Solo para que lo sepáis.

Y ahora me quedan menos de dos horas para aprenderme el nuevo guion, terminar de preparar el regalo de Noah, ducharme, maquillarme, ponerme el modelito de aniversario y cruzar Londres.

Genevieve —teniendo en cuenta la fecha que es— me ha

enviado (para la tercera publicación de hoy) una imagen de Noah y yo en París en Navidad. Estamos bajo las brillantes luces de los Campos Elíseos, con las mejillas juntas, sonriendo demasiado —y muertos de frío, pero las gotas que nos caían de la nariz las han eliminado con la magia del Photoshop.

Ha escrito un pie de página, pero yo lo ignoro y redacto uno propio.

Y PUBLICAR.

¡Feliz aniversario! Un año maravilloso con mi chico. ¡Menudas aventuras hemos vivido! Me muero de ganas por compartir los próximos 365 días contigo.

En pocos segundos, los corazones se vuelven locos.

**¡OMG! Qué monada. ¡¡Supermonada!!
¡Quiero ser como vosotros!
¡Me dais LA VIDA! ¡¡VIVA FAINOAH!!**

Aparece una foto en mi tablón. Noah y yo estamos en una alfombra azul VIP, abrazados. Se nos ve cómodos y relucientes. Mi cabeza está apoyada en la hombrera de su chaqueta. No puedo evitar preguntarme si también la habrá publicado su relaciones públicas.

Hoy hago un año con mi chica preciosa. Soy el tío más afortunado del mundo. Te quiero muchísimo.

Le doy al corazón.

Aaaaaah. ¡Me muero!

¡OS AMOOOOOOOOO! ¡FELICIDADES!

Ojos.De.Corazón.Infinitos.

Estábamos en el estreno de *En la cumbre*, el taquillazo melodramático de mamá. Noah se durmió a los cinco minutos de empezar y se quedó así hasta que lo desperté en los créditos finales.

Lo que me recuerda...

Con un suspiro, imprimo el documento adjunto al mail de Persephone e intento no entrar en pánico conforme van saliendo las páginas: una, dos, tres, cuatro, cinco, seis, siete, ocho... —¿Qué es esto? ¿*Guerra y paz*?

Luego pego las once páginas de la nueva escena a los azulejos de mi baño e intento exfoliarme, depilarme las piernas, ponerme la mascarilla, lavarme el pelo, secármelo, aplicarme la prebase, la base, el bronceador, el iluminador, el delineador, el rímel, la sombra de ojos, el gel de las cejas... al mismo tiempo que leo en voz alta las frases.

—¿Por dónde vamos? Estoy segura de que el mapa decía que teníamos que ir por el otro lado...

Y:

—¿Qué quieres decir con «mi destino»?

Y:

—¡No! ¡Para el coche! ¡Esto es una locura!

Al menos mi personaje parece estar confundida y bastante poco preparada para las situaciones a las que se enfrenta. Debería ser capaz de simularlo perfectamente.

Por último —exfoliada y reluciente—, cojo el vestido de Valentino que Noah me envió hace unos días: largo hasta el suelo, ajustado, de un blanco resplandeciente y con lentejuelas. Me lo pongo, me siento incómoda en el suelo e intento terminar su regalo. El primer año tiene que ser algo de papel, así que nos he comprado un viaje a Nueva York en primera clase para cuando termine su gira. Aunque me acabo de dar cuenta de que darle a mi novio un sobre de una agencia de viajes es un poco... impersonal. Así que lo cubro rápidamente con corazones.

Corazón. Corazón. Corazón.

—¡No! —murmuro garabateando uno más. Corazón—. ¡Para el coche! ¿«No, para el coche»? —Corazón—. «¡Esto es una LOCURA!» No. —Corazón—. ¡PARA EL C...!

Ping.

Llego tarde, pero debería estar allí a las
16.20. Bss.

Pues podría utilizar esos minutos para investigar la forma de hacer pis con este vestido.

¡No pasa nada! ¡Nos vemos allí! ¿Qué
vamos a hacer? ¡Qué nervios! Bss.

Ja, ja. Si te lo dijera no sería una
sorpresa ☺. Bss.

Hago un último garabato —corazón— y meto el sobre en mi bolso. Cojo el paquete de pósit, salgo rígida al pasillo y pego la nota del pájaro en la pared. A continuación, bajo poco a poco la escalera, como si tuviera un palo en la espalda.

—¡Ooooooh! —Hope está sentada en descansillo, al lado de la ventana. Tiene tantísimas ganas de empezar con el estilo de vida glamuroso de los Valentine cuando cumpla los dieciséis que me da mucha pena. Aunque una parte de mí en el fondo desea cambiarse por ella—. ¡Feliz aniversario! Estás exquisita, Eff.

—Gracias. —Sonrío y doy una vuelta con los brazos abiertos. Me siento rara, rígida y áspera, como si fuera una muñeca—. Es increíble lo que pueden hacer un vestido de dos mil libras y unas medias moldeadoras, ¿verdad? Mis órganos internos están embutidos como salchichas.

—Deberías llevar ropa en condiciones más a menudo —dice mi hermana, saltando risueña por las escaleras mientras yo me arrastro detrás de ella. Abro el armario de los obsequios y cojo un abrigo de terciopelo burdeos de Gucci y unos tacones dorados de Prada—. Noah se va a quedar muerto. Qué bonito es el amor mohoso.

Me quedo mirándola con un pie levantado.

—¿El qué?

—¿No te acuerdas? —Me clava sus ojos brillantes como perlas—. Hace unas semanas dijiste algo así como que tu amor por Noah era como el moho: crece mejor en las condiciones adecuadas. En ese momento no lo entendí, pero creo que ahora sí.

Me quedo perpleja mirando a mi hermana pequeña.

«¿Amor mohoso?»

¿Eso es lo que siento de verdad por él? ¿Cómo si fuera un trozo de pan húmedo con hongos?

Estoy hecha toda una romántica.

—Ayyy... —Le doy un beso cariñoso en la mejilla—. Cariño, ¿seguro que no te importa quedarte en casa esta noche? ¿No te vas a sentir muy sola?

—Ah, no. Va a venir Ben y tenemos planeado ver algunos vídeos —dice Po muy alegre—. Voy a obligarle a que vea tres veces cada uno. Una del vídeo solo, otra con comentarios del director oficial, y otra con los míos. ¡Anda, qué casualidad! —Me mira por encima del hombro con una expresión dramática y con los ojos muy abiertos—. Acaba de llegar el tercer miembro de tu triángulo amoroso no tan secreto.

Mi hermana sube y baja las cejas.

Algo me dice que ha organizado esto a propósito, la muy maldita.

—Pero ¿qué hora es? —digo, mirándola con ironía. «Buen intento, hermanita, pero no te ha salido bien.»—. ¡Madre mía! ¡Me tengo que ir corriendo! ¡Pásalo genial!

Y me meto en la limusina.

15

Mi reino por unas mallas y una sudadera XL.

Las lentejuelas blancas gritan «¡Mírame!» a los cuatro vientos. —Casi tanto como vestirse con un disfraz amarillo pollo y girar un cartel en el que ponga «POR AQUÍ»—. Más de quince turistas se paran para hacerme fotos, así que el mundo entero me va a ver con estas pintas de patinadora sobre hielo a punto de casarse.

Noah ha sido muy amable al enviarme algo especial que ponerme esta noche, pero estaría infinitamente más contenta en un peto y calcetines graciosos.

Agotada, me escondo tras una columna y escribo un mensaje.

> ¡Hola, cariño! Ya he llegado.
> ¿Dónde estás? Bss.

Luego me pongo a mirar otra vez internet. Tengo la esperanza de que la periodista de esta mañana haya publicado ya su artículo. Puede que algo así:

Faith Valentine es una chica muy amable y normal que está completamente enamorada de su novio ¡y no es para nada insoportable!

O:

¡Nos hemos quedado pasmados por lo poco diva que es Faith Valentine en realidad!

Incluso me serviría algo así:

¡EXTRA! ¡EXTRA! Faith Valentine ¡NO ES UN MONSTRUO!

Pero el único artículo que encuentro es el del bloguero del parque.

A ver, que conste que agradezco el apoyo invasivo y malrollero —¿Quién lo rechazaría?—, pero espero que Persephone no acepte esa invitación a comer helado. Además, tampoco estoy del todo segura de que tenga más lectores además del tal Kevin.

Ping.

¡Llego tarde! Entra sin mí. ¡Lo siento! Bss.

Típico de Noah.

¿Dónde? ¡No me has dicho adónde vamos! ☺ Bss.

¡Es verdad! ¡Perdona! Al ballet. ¡¡¡El de los patos!!! Bss.

Noto cómo me invade la felicidad y me pongo de puntillas.
Sándwich mohoso, y una porra.

¡¡¡¿*El lago de los cisnes*?!!!! ¡¡Estás de coña?! ¡¡¡Es mi favorito!!! Bss.

¡Lo sé! ¡Ya casi estoy! Te veo en un ratito. ¡Te quiero! Bss.

Levanto la cabeza con el corazón a mil por hora. The Royal Opera House está justo al doblar la esquina, así que —con otra oleada de emoción— camino con elegancia hacia allí, con los riñones espachurrados, pero sonriendo a más no poder.

Cuando llego al enorme edificio blanco, se me acelera aún más el corazón.

«Ay, Noah.»

Adoro el ballet desde que mamá me llevó por primera vez cuando tenía cuatro años. Fue lo que hizo que me enamorara de la danza. No se me ocurre un regalo más considerado.

Con un brillo bastante inapropiado (es una sesión de tarde, todo el mundo va en vaqueros), voy a recoger mi entrada al vestíbulo dorado y subo las escaleras para esperar en un reservado.

Noah nos ha reservado un palco. Un palco entero de seis personas. Justo en frente del escenario.

«Flipa.»

Pero hasta que no me planto allí, no me doy a cuenta de lo que significa eso: hasta que él no llegue, estoy yo sola.

Yo sola, sentada en el asiento más visible de todo el edificio. Colgada sin demasiada sutileza en las alturas dentro de un enorme contenedor dorado, con un millón de lentejuelas blancas recibiendo cada luz que hay en el teatro cuando me muevo, como si fuera una bola de discoteca humana.

«¡Hola a todos! ¡Soy yo! ¡Faith Valentine!»

Evidentemente, los más curiosos ya se van girando para mirarme. Escucho los susurros, las risillas e incluso veo los flashes de las fotos. Me hundo en el sillón e intento quedarme lo más quieta posible.

Me vibra el teléfono.

Hay un atasco HORRIBLE. Entraré
supercallado, ¡te lo prometo! ¡Lo
siento! Te quiero. Bss.

Me muerdo los labios.

¡Claro! No te preocupes. Bss.

Casi al instante, mi teléfono vuelve a vibrar.

Bueeeeeeeeeeeeeno, ¿qué tal va la
supercita romántica? Bss.

Mercy debe de sentirse superculpable por lo que dijo esta mañana. Nunca firma con besos. Además, me imagino que es la única forma de mostrar que su mensaje no es del todo sarcástico.

Le respondo:

> ¡Increíble! ¡Estamos viendo *El lago de los cisnes*! ☺ Bss.

Pero borro esa última parte.

> ¡Increíble! ¡¡N me va a llevar a ver *El lago de los cisnes*!! ☺ Bss.

Lo vuelvo a intentar.

> ¡Increíble! ¡¡N ha comprado entradas *para El lago de los cisnes*!! ☺ Bss.

Eso es técnicamente cierto. ENVIAR. Unos segundos después.

> Todavía no ha llegado, ¿a que no?

¿Sabéis qué? Se dicen un montón de cosas bonitas sobre el vínculo que hay entre las hermanas. Esa conexión especial que te permite entrar en el corazón de la otra, conocer a la perfección su mente, leeros sin necesidad de palabras.

Pues está extremadamente sobrevalorado.

> Todavía no, pero ¡¡¡está llegando!!! BSS.

Claro que sí. Menudo gilipuertas.

Que Noah esté en mitad de un atasco no
lo convierte en un gilipuertas, Mer. Va a
llegar.

Qué ingenua eres. No va a aparecer
por allí. Es un hecho. Sabes que odia el
ballet: es A B U R R I D O.

Guardo el móvil en el bolso con el ceño fruncido.
«Que te den, Mercy de Vil.»
Luego vuelvo a poner una expresión feliz. Con los ojos
muy abiertos y una mirada agradecida que dice: «Me encan-
ta el ballet, adoro a mi novio y juro por Dios que va a llegar
EN CUALQUIER MOMENTO».
Lo último que necesito ahora mismo es que me hagan
una foto mirando enfadada a unas pobres bailarinas.

La solitaria Faith Valentine
ODIA A LAS MUJERES Y LA ALEGRÍA

Las luces se atenúan hasta que un brillo rosado, como el
de una vela, ilumina el silencioso auditorio, y por fin consigo
relajarme. Aparecen los miembros de una orquesta en un
lado del escenario y se van sentando. El director saluda con
una reverencia y levantando la batuta. Las tonalidades dul-
ces y tristes empiezan a llenar el recinto, y yo me echo hacia
atrás, enfadada.
Se hace la oscuridad y se abre el telón.

16

Para vuestra información, el ballet no es aburrido.

Es el estilo más atlético de narración: le da a la música fuerza y elegancia. Aparece el príncipe Sigfrido en el escenario saltando y girando mientras los cortesanos y los invitados dan vueltas a su alrededor. Es pura magia.

Aunque admitiré que gran parte de *El lago de los cisnes* es el príncipe de fiesta. Unos tres cuartos del total.

Se enciende la pantalla de mi teléfono.

¡Ya casi estoy! ¿Qué tal los patos? Bss.

Sonrío. «Chúpate esa, Mercy.»

> Durante la primera media hora
> no aparecen. ¡Todavía tienes tiempo!
> El príncipe está buscando esposa en la
> fiesta. Algo me dice que no lo va a
> conseguir. LOL. Bss.

¿Ese no es el argumento de todos los
cuentos del mundo? Bss.

Sip. Esto es básicamente
La sirenita pero con alas. Bss.

¡¡Guay!! Bss.

Miro aliviada por encima del balcón. Noto cómo la gente me observa con desaprobación mientras brillo intensamente con la luz azul del teléfono. «Estos famosos jóvenes no tienen ningún tipo de respeto, se creen que las reglas no se les aplican a ellos», etcétera, etcétera.

Me sonrojo —«Ay, lo siento»—, guardo el teléfono en el bolso y me vuelvo a centrar en el escenario. Pasa media hora, la música se intensifica y desciende el telón: se acabó la fiesta.

El oscuro auditorio se queda en silencio. Miro disimuladamente el móvil, pero nada.

Luego vuelve a empezar la música —suave, más conmovedora— y se abre el telón, mostrando un lago. Es azul y hay niebla, con unas preciosas montañas pintadas en el fondo. Una densa marea de nubes atraviesa el escenario.

Las luces se atenúan y, de detrás de las cortinas, aparecen dos filas de cisnes que bailan en un círculo perfecto. Tienen los brazos sobre la cabeza, como si fueran los cuellos, y se mueven con una simetría increíble.

Y ahí está: el Cisne Blanco, Odette. Una princesa preciosa con una maldición por la que pasará el resto de su vida siendo un cisne que solo muestra su forma humana por la noche. Se desliza con fluidez por el escenario y todos resoplamos aliviados.

«Por fin.»

Como siempre, lleva un tutú blanco, zapatos blancos y un sombrero de plumas blancas. Con unos movimientos minúsculos y elegantes consigue, de alguna manera, ser un pájaro: con las plumas alborotadas y un largo cuello elegante.

Despacio, Odette gira de puntillas bajo la pálida luz azul y me aprieto el vientre con los brazos.

Vibra mi teléfono.

¿Y bien? ¿Alguna señal?

Frunzo el ceño, frustrada.

Llegará en cualquier momento.

Por supuesto que sí.

Por el amor de Dios, Mer. Estoy en el ballet. ¿Puedes dejar que lo disfrute en paz?

Te estoy haciendo un favor. Estás hecha una carca, Eff. ¿Qué tal están aguantando las mallas de machote del príncipe? LOL

Levanto la mirada y veo a Sigfrido bailar con Odette. Están abrazados el uno al otro, embriagados y absortos. No hay nada de «carca» en esto. Es muy sexy.

Estás obsesionada con sus mallas, friki. ¿Él también es un gilipuertas?

Ni idea, nunca he visto el final.
ZZZZZZZZZZZZZZZZZZ.

Tecleo una respuesta indignada justo cuando la música deja de sonar, se baja el telón y se encienden las luces. Me he perdido la primera mitad de mi regalo de aniversario por enviarle mensajes a mi hermana.

«Bien jugado, Mer.»

A mis pies, se escuchan los murmullos del auditorio y me planteo unirme a ellos, dejándome llevar por la envidia. Puedo ir al baño, comprar un helado y puede que una camiseta de cisne y un programa, y charlar con alguien sobre lo maravilloso que es.

Pero...

«¡Faith Valentine! ¡Madre mía! ¡Qué fuerte que me haya encontrado contigo! ¿Te puedes hacer una foto conmigo? ¡Me quedaré esperando en la puerta del retrete mientras haces pis! No te preocupes, ¡me taparé los oídos!»

Igual es mejor que me aguante.

Ping.

Ya casi estoy. ¿Han llegado los patos?
Bss.

Estoy empezando a enfadarme un poco.

«Llevas más de una hora diciendo que "casi estás", Noah. Y deja de llamarlos "patos", hace al menos dos mensajes que dejó de ser gracioso.»

Sip. Estamos en el descanso. Bss.

¡Guay! Espero q lo estés pasando bien.
Bss.

Echo un vistazo por el abarrotado auditorio y luego miro a mi palco solitario.

Mucho, gracias. Bss.

Suena la campana del final del descanso y el público vuelve a sus asientos. No puedo dejar de mirar hacia la cortina de nuestro palco. Noah va a llegar en cualquier instante, y ya podré dejar de poner mi expresión falsa de «¡Qué maravilla!» y seguir disfrutando del ballet sin las miradas de pena.

FAITH V – DEMASIADO ELEGANTE
Y SOLA ¡DE NUEVO!

Por fin se vuelven a apagar las luces, menos mal. Empieza otro baile, pero esta vez hay un invitado inesperado: el Cisne Negro. Es idéntica a Odette, pero (¡sorpresa!) está vestida completamente de negro. Mientras que el Cisne Blanco es suave y delicado, el Cisne Negro es brusco y violento. Llega hasta el príncipe girando en una serie de círculos vertiginosos. Él se casa de inmediato con ella.

Y, proyectado en el fondo del escenario, hay un cisne blanco de verdad, golpeando con sus alas un cristal tintado. La maldición se ha completado, se acerca el final, preparad vuestros pañuelos, os va a partir el corazón.

Ping.

¿Y bien?

Levanto la mirada con un nudo en la garganta. Volvemos a estar en el lago. Los cisnes llenan el escenario y Odette está haciendo su maravilloso y trágico solo. «La muerte del cisne.»

Noah no va a venir. Ni siquiera está de camino, y creo que una parte de mí supo que no lo había estado nunca. Mi regalo de aniversario es estar sentada sola y ver cómo se ahoga un cisne.

98

En el escenario, la niebla se eleva y Sigfrido desaparece para siempre con la princesa en el lago azul.

«Fin.»

Parpadeo para que caigan las lágrimas que se me han acumulado en los ojos, trago saliva y cojo el bolso. Apago el teléfono. Luego me inclino sobre el balcón y aplaudo todo lo fuerte que puedo.

«Feliz aniversario, Effie.»

Estoy a punto de salir del edificio cuando lo veo. Está de pie en el vestíbulo, con un traje de chaqueta negro y un enorme ramo de rosas blancas en las manos.

El chófer de Noah me hace una reverencia.

—¿Faith Valentine? ¿Me haría el honor de acompañarme?

17

«No llores, no llores, no llo...»

El corazón me golpea con fuerza las costillas.

¿Todo esto formaba parte de un plan aún más romántico de Noah y *El lago de los cisnes* era simplemente algo con lo que entretenerme mientras él terminaba de preparar nuestra verdadera velada de aniversario?

He dejado que Mercy me hiciera dudar de mi novio, no me lo puedo creer.

Me seco los ojos rápidamente y me pongo recta. Desmayarse en el suelo de un vestíbulo público y gritar de alivio no es un comportamiento propio de las Valentine.

—El señor Anthony ha preparado algo muy especial para usted —dice el chófer mientras le sonrío tímida—. Es una chica muy afortunada.

Luego me coloca con cuidado un pañuelo sobre los ojos.

—¿Dónde vamos? —Me río. Noah se ha vuelto a pasar—. ¿De verdad tengo que llevar los ojos tapados?

—Solo sigo las instrucciones que me han dado. Lo siento, señorita. Un momento.

Me guía a lo que creo que es el asiento trasero de una limusina.

El motor arranca y conducimos en silencio. Intento averiguar en qué dirección vamos. Podría ser a cualquier sitio. ¿Una cena privada en un restaurante? ¿Una galería de arte exclusiva para socios? ¿Un yate? ¡¿Dónde?!

Últimamente Noah y yo pasamos muy poco tiempo juntos. Seguro que me va a llevar a algún sitio precioso en el que estemos a solas. Pasa una hora y noto cómo me emociono aún más. Con todos los titulares que circulan estos días, lo único que necesitamos de verdad es tiempo para nosotros.

Por fin, la limusina se detiene. El chófer me ayuda a salir del coche y a subir unos escalones.

Se abre una puerta con un clic y escucho un ruido: suave al principio, pero va aumentando de intensidad conforme avanzamos. Un murmullo, un gruñido, un griterío... hasta que se convierte en un ruido sólido. ¿Aviones? ¿Un jet privado? Pero parece más...

«¿Gritos?»

Me llevo las manos al pañuelo que tengo sobre los ojos.

—Unos segundos más —dice alegre el chófer, apartándome las manos—. Le voy a dar una pista: mi hija mataría por estar en su lugar ahora mismo.

Y me empuja hacia delante. El ambiente cambia, se vuelve cálido, empalagoso, como... muy oloroso. Los gritos son tan fuertes que mi vestido vibra, literalmente. Es como si el mundo entero estuviera a punto de explotar. Como si alguien hubiera dado un golpe en el borde y hubiese producido tanta vibración que fuera a romperse como un vaso de cristal. Y de pronto todo se queda en silencio.

Con un movimiento suave, me quitan la venda de los ojos.

Parpadeo. Estoy en el lateral de un enorme escenario, medio escondida entre las cortinas. Bajo el foco está Noah, con su guitarra favorita colgada a la espalda. El suelo está lleno de pétalos de rosa, hay lucecitas rosas por todas partes y él se encuentra en centro de todas, con una camiseta blanca resplandeciente y unos vaqueros azules de diseño.

Mi novio, guapísimo, se gira y me sonríe.

Se me iluminan los ojos. Me va a explotar el corazón, como un cohete que sale disparado hacia el cielo.

Le devuelvo la sonrisa. «Hola, amor.»

Luego se vuelve al público que abarrota el estadio y levanta una mano, como un director de orquesta.

—¡FAITH! —Gritan a coro—. ¡FAITH! ¡FAITH! ¡FAITH! ¡FAITH! ¡FAITH! ¡FAITH! ¡FAITH! ¡FAITH! ¡FAITH! ¡FAITH! ¡FAITH! ¡FAITH!

Todas las luces me apuntan de repente a mí.

«No. No. No...»

—Qu... qué... —tartamudeo, pero noto que unas manos fuertes me empujan por los hombros hacia el escenario, justo bajo el foco—. Por favor, no... No quiero...

—¡AQUÍ ESTÁ! —Noah sonríe otra vez y vuelve a sacar una mano—. ¡LA CHICA MÁS PRECIOSA DEL UNIVERSO! ¡DADLE UNA ENOOOOOOOOORME BIENVENIDA A MI INSPIRACIÓN, MI ALMA GEMELA Y EL AMOR DE MI VIDA: FAITH VALENTINE!

No puedo respirar. Intento salir corriendo, pero no puedo por culpa de este estúpido vestido.

Los gritos son cada vez más fuertes y empieza a tocar una orquesta. Han encendido un cartel luminoso en el que pone FAITH VALENTINE y me están empujando, me empujan, me empujan...

—¡Venga, cielo! —Las manos enormes me colocan con firmeza en el centro del escenario—. ¡No seas tímida! ¡Disfrútalo!

Me doy la vuelta muy rígida.

Noventa mil personas se han unido en un griterío estridente.

90000.

Nueve y cuatro ceros.

—¡ESPERAD! —grita Noah por encima del alboroto del público—. ¡UN MOMENTO! ¡QUIERO DECIR ALGO! VEN AQUÍ, CARIÑO. ¡VENGA!

Ahogándose en los gritos, mi novio me coge de la mano y tira de mí hacia él, haciéndome girar como un trofeo. Luego me coge y me sube a una silla alta, la típica en la que se sientan los cantantes cuando tienen que cambiar de octava.

Me tiembla todo el cuerpo, como si estuviera hecha de cristal.

Noah vuelve a mirar al público.

—¡HOY! —Mi novio levanta una mano y se queda todo en silencio—. ¡HOY ES NUESTRO PRIMER ANIVERSARIO! ¡HACE UN AÑO QUE CONOCÍ A ESTA DIOSA EN LA FIESTA DE UNOS PREMIOS! ¿VERDAD, EFF?

Se gira hacia mí, radiante bajo su foco. Temblando, trago saliva y asiento.

—¡ESCUCHAD UNA COSA! —Noah se vuelve hacia el mar de pequeñas caritas—. ¡ESTA MARAVILLA ESTABA EN EL SUELO, LIMPIANDO CON LOS CAMAREROS! ¿A QUE ES UN ENCANTO?

Se me abre la boca.

—Y LO SUPE DESDE EL PRIMER SEGUNDO. —Noah me rodea con un brazo—. SUPE QUE ESTA CHICA ERA TODO LO QUE HABÍA ESTADO BUSCANDO. YA SABÉIS QUE ELLA FUE LA INSPIRACIÓN PARA MI SUPERÉXITO *TE ESTABA ESPERANDO*, PERO ESTA NOCHE QUIERO TOCAR PARA ELLA ALGO MUY ESPECIAL.

Noah asiente ligeramente con la cabeza y todos empiezan a rugir:

—¡NOAH, TE QUEREMOS! ¡QUÉ ROMÁNTICO ERES, NOAH!

Mi novio me toma la mano, la besa, luego coge la guitarra y empieza a tocar unos acordes en la menor.

Se me hace un nudo en el estómago.

—ESTE TEMA SE LLAMA *LA FE DENTRO DE MÍ* —Noah me sonríe, y luego al público—. ES EL PRIMER TEMA DE MI NUEVO ÁLBUM *AL AMANECER*. ¡A LA VENTA MAÑANA! ¡ESPERO QUE OS GUSTE!

Se me abre más la boca...

—Mmmmmm —tararea con intensidad en el micrófono—. Oooh. Du-du-du. Mmmmmm —Acorde—. Eres arte de vanguardia/la canción de mi alma./Has leído a Descartes,/hace que te apartes...

Y ahí llega.

El gran sueño.

El gran gesto romántico.

El momento que recordaré el resto de mi vida.

Estoy en un escenario enorme con un vestido de lentejuelas mientras mi famoso y guapísimo novio me canta una canción especialmente compuesta para mí, y miles de personas gritan mi nombre; soy la chica más afortunada y querida del mundo entero.

Y entonces ¿por qué tengo tantas ganas de salir corriendo? ¿Cuál es mi problema?

—Mmmmmm... Eres mi vida entera./El pez de mi pecera./Me iría contigo a Formentera...

De pronto se me arruga la nariz —Noah ha vuelto a consultar el diccionario de rimas— y agacho la cabeza para que no pueda verme la cara.

—Porque, mi amor, mi destino eres tú...

Se encienden las linternas de los móviles de todo el estadio y empiezan a balancearse en el aire como si fueran estrellas.

«Disfrútalo, Faith. Por favor, sé normal y disfrútalo. Disfrútalo, disfrútalo, disfrútalo, disfrútalo, disfrútalo, disfrútalo, disfrútalo, disfrútalo...»

Aparece detrás del escenario una violinista de pelo rubio platino que camina hacia el frente. Empieza a tocar con gracia.

—TENGO FE EN TIIIIIIII —Noah se gira hacia mí. Supongo que es el estribillo—. Y ERES LA FE DENTRO DE MÍÍÍÍÍÍÍÍÍ.

No sé adónde mirar.

—POR ESO HA CRECIDO ESTE AMOOOOOOOOOR, CARIÑO, ERES MI BENDICIÓÓÓÓÓN—. Están colocando en el escenario un piano enorme. Noah sonríe, le pasa la guitarra a un miembro del equipo y se sienta al teclado—. Eres la luz que ilumina mi hogar/por encima de todo lo demás./Creo que tú eres lo más./Nos veremos en...

«Panamá.»

—Bogotá.

Se me escapa una pequeña risotada por la nariz y no sé si reírme más o llorar. Todo esto es muy dulce, muy especial, muy grande.

Pero lo único que yo quería era que Noah llegara puntual, y no que dijera que venía de camino cuando era mentira. Que viniera y viera, por una vez, un aburrido ballet porque sabe que me encanta.

Pero sonrío todo lo que puedo, me pongo una mano en el pecho y hago que me brillen los ojos.

«Estoy encantada, chicos. Encantadísima.»

Él sigue cantando —una estrofa de vida/huida/olvida/dormida y otra vez el estribillo— y luego estalla en un agudo muy largo hasta que termina casi sin aliento.

Me quedo con la boca abierta.

—¡DADLE OTRO APLAUSO ENORME A FAITH VALENTINE! —grita, saltando frente al piano, levantándome del asiento y volviendo a hacerme girar en un elaborado y brillante círculo blanco. Mi vestido/regalo tiene muchísimo más sentido de repente—. ¡TE QUIERO MUCHÍSIMO, CARIÑO! ¡FELIZ PRIMER ANIVERSARIO!

Noah me inclina hacia atrás y me besa.

Suena un bang y el aire se llena de pétalos rosas y de purpurina, que aterriza en mi cara. El público enloquece.

Vuelvo a abrir la boca...

—Vale, pues ya está, cariño —mi novio me susurra al oído, volviendo a ponerme derecha—. Quédate para la fiesta, ¿vale? Va a estar bien.

Y me sacan del escenario.

18

ELLA ES SU VALENTINE

Anoche, Noah Anthony deleitó a un Wembley abarrotado con su nuevo single, La Fe dentro de mí, dedicado a su novia, Faith Valentine. Noah, el rompecorazones, le hizo una serenata a su chica, que mantuvo la compostura durante todo momento, vestida para llamar la atención en un traje muy brillante de Valentino (izquierda).

Me despierto sola.

Sinceramente, habría apostado dinero a que Mercy iba a aparecer a las cinco de la mañana para reírse de mí —el vídeo del concierto de anoche se ha hecho viral en YouTube y mi hermana podría reírse de la rima de «más/Bogotá» durante días—, pero a la mañana siguiente no hay nadie más que yo en mi cama.

Me quedo mirando al techo durante unos segundos. Lo de anoche fue...

Ruedo y cojo el teléfono para enviarle a Noah el mensaje diario de buenos días:

¡Buenos días! ¡Lo de anoche FUE
INCREÍBLE! Gracias por una velada tan
alucinante, siento no haberme podido
quedar, ¡ME ENCANTÓ! Te veo hoy para
poder darte TU regalo. Eff. Bss.

Mi sobre de agencia de viajes garabateado con corazones
ya no va a ser suficiente. Jay-Z le compró a Beyoncé una isla
desierta en la costa de Florida por veinte millones de dólares;
quizá pueda encontrar una playa algo más barata en Escocia.

Me pongo un modelito que la abuela ha aprobado para
las audiciones, publico dubitativa la foto del concierto de
Noah que Genevieve me envió anoche con un texto copiado
y pegado: «¡¡¡Soy la novia más afortunada del mundo!!! ❤
❤»— y recojo los periódicos que nos dejan cada mañana
sobre el felpudo. A continuación, vuelvo a subir las escaleras
y recorro de puntillas el pasillo hasta el dormitorio de Mer.

Mi hermana está en su propia cama por primera vez desde hace meses, durmiendo bocarriba, con los brazos rectos a
cada lado, la cara completamente estática y el edredón metido bajo las axilas.

Es entrañable, pero al mismo tiempo da un poco de mal
rollo. Parece una vampiresa ingresada en un hospital.

Me aguanto las ganas de buscar debajo de su cama a las
posibles víctimas a las que les ha chupado la sangre y dejo
un artículo de la prensa rosa de una página entera a su lado
para que vea el gran gesto romántico de Noah en cuanto se
despierte.

«Chúpate esa, Mercy Valentine.»

Asomo la cabeza en el dormitorio de Hope, pero me
acuerdo de que tenía pensado salir a primera hora para comprar cosas para el colegio con la misteriosa Roz.

Así que vuelvo a bajar las escaleras con mis tacones para

la audición y bostezando como un oso. Intenté esperar a Noah al final del concierto, pero había tantos *paparazzi* y fans corriendo hacia el escenario que terminé escabulléndome a casa para aprenderme las frases de la audición de hoy.

No son difíciles, en realidad... Siempre y cuando sepas comportarte como un ser humano normal. Y, visto lo visto anoche, parece que yo no sé.

—¡No! —murmuro mientras echo un vistazo rápido para comprar una estrella por internet y ponerle el nombre de Noah—. ¡Para el coche! ¡Esto es una locura!

¿Una hectárea de la luna? ¿Eso es romántico?

—Me da igual que estemos en mitad de la nada...

O sea, ¿de quién es la luna?

Suena el timbre de la puerta.

—Me da igual que estemos en mitad de la nada... —leo el guion mientras abro la puerta—. Deja que me vaya. Hay algo que no me da buena...

Genevieve asiente. La abuela está rodando en Devon —un pequeño cameo con el que no dudo que ganará otro Oscar por entrecerrar los ojos—, pero se ha asegurado de que llegue a tiempo a la prueba sin tener que frotarme con una vela.

—¡Buenos días! —Intento sonreír con seguridad.

—¿Dónde vas, querida? ¿A algún sitio elegante?

Me doy la vuelta sorprendida.

Mi madre está de pie al final de la escalera con unos pantalones azul claro, una blusa de seda azul marino y el pelo recogido en un moño bajo apretado. Parece cansada y va descalza, pero está vestida y ha bajado.

Es como ver a una sirena, al monstruo del lago Ness o al Ratoncito Pérez.

Miro a Genevieve para comprobar que ella también la puede ver. Asiente sutilmente.

—¡Mamá! —Me giro de un salto con una sonrisa radiante—. ¿Cómo te encuentras? Desde luego, tienes un aspecto —agotado, exhausto, sin ganas de vivir— resplandeciente y estás preciosa, como siempre.

Sus ojos, normalmente de un gris intenso, se deslizan atontados por el recibidor, demasiado despacio, como si se movieran sobre raíles.

—Ah —dice mi madre con educación, sin prestar atención—. Qué amable eres, querida.

Dirige la mirada ausente con el ceño fruncido al montón de papeles que llevo en el bolso.

—¿Eso es un guion, cielo? ¿Para mí? Me acuerdo perfectamente de pedirle a Persephone que me pasara cualquier oferta que surgiese. *En la cumbre* está funcionando tan bien que tampoco tengo necesidad de...

—Eh... —Toso—. En realidad... son míos.

Su mirada fría se para momentáneamente en Genevieve porque se acaba de dar cuenta de que está en la puerta.

—¿Tuyos? —Pausa—. ¿Cómo que tuyos?

—Papeles. Para mí. —Siento cómo se me empiezan a calentar las mejillas—. Para hacer audiciones. Persephone... me los ha enviado por mail. De hecho... voy ahora... a una segunda audición. Es una... serie muy importante. Todo el mundo está muy... emocionado.

Mamá frunce el ceño otra vez.

—Pero, querida, eres demasiado joven.

«¿Perdona?»

—Mamá, tengo dieciséis años, ¿recuerdas? La norma es que podemos empezar a actuar justo a esta edad. Creo que te confundes con Hope.

Vuelve a mirar a la nada.

—¿Mamá?

Mira al ventanal.

—¡Mamá!

¿Qué? —Vuelve a prestarme un poco de atención—. Ah, sí, querida. Creo que tienes razón. En fin. Siempre has sido la guapa de la familia. ¿Estás utilizando esa crema tan cara que te regalé? Las cámaras de alta definición capturan todos los defectos.

Parpadeo, perpleja.

—Sí, ma...

—¿Dónde está tu hermana? —me interrumpe—. No la encuentro por ninguna parte. No está en su habitación. Ya nunca está en su habitación.

—Mercy está durmiendo. —Se me retuerce el estómago—. Y Hope ha salido a comprar material para el instituto con papá y... Roz.

Mi madre se queda mirándome.

—Pues nada. —Tiene una expresión vacía, y me roza con delicadeza la mejilla con los labios. Es como si me diera un beso una semilla de diente de león—. Creo que me vuelvo a la cama. Adiós.

Sube despacio la escalera, con la espalda recta y la barbilla bien alta. Genevieve y yo nos quedamos mirando cómo se marcha.

Durante un segundo, veo otras versiones de mi madre titilando como una vela: lanzando a Hope en el aire, haciéndole cosquillas a Mercy, llevando a Max a caballito, jugando con mi pelo, riéndose a carcajadas de un chiste malo cubriéndose la boca con la mano.

Pero la vela se apaga y solo queda una puerta cerrada.

—En fin. —Genevieve es enérgica y metódica—. Faith, podemos actualizar tus redes sociales en el coche. Se me había ocurrido algo así como «Mente positiva, sensaciones positivas, vida positiva» con una foto de una silueta haciendo yoga. *Hashtag Bhujangasana, hashtag lamejorversióndemivida, hashtag solenelalma.* Nos vamos.

Me quedo mirando cómo la asistente de mi abuela escribe a toda prisa en su teléfono.

¿De dónde narices saca estas fotos? Me resulta muy raro que Genevieve viva mi vida online y rastree internet en busca de imágenes.

Ni siquiera estoy segura de saber qué es *Bhujangasana*. ¿La postura del árbol? ¿Un puente? ¿El águila? ¿Algún tipo de tetera? Ay, ¿qué más da?

Cojo el teléfono y escribo un mensaje:

> Voy a mi segunda audición. ¡Qué nervioooooos! Deséame suerte. ¡Nos vemos esta noche para EL REGALO! ¡Te quiero! Bss.

Y luego, aprovechando un impulso de imaginación, escribo otro:

> Po, hay una EMERGENCIA. ¡Necesito IDEAS PARA EL REGALO DE ANIVERSARIO DE NOAH! Porfa, envíame alguna RÁPIDO. Cuanto más ñoña mejor. Bss.

Luego arrugo la nariz y añado:

> No quería decir ñoña, sino romántica, obvio. Bss.

Si alguien sabe qué es el romanticismo, esa es Hope.

—Claro —digo, sintiéndome completamente tranquila al dejar mi vida amorosa en manos de mi hermana pequeña—, que empiece el espectáculo.

19

¿Te has enterado de que un actor se ha caído del escenario?

No le dieron bien el pie.

Estoy lista.

Tengo el guion grabado en el cerebro, impreso en los ojos. En las próximas décadas, me acordaré de frases aleatorias de este guion en mitad de la noche, independientemente de si consigo o no el papel.

Y, sí, mi personaje es increíblemente pasivo, es casi un espacio vacío con forma de mujer, pero si eso es lo que quiere Teddy Winthrop, un extraordinario director de casting, es lo que le daré.

La última vez funcionó, ¿no?

—¡Hola de nuevo! —La recepcionista levanta la mirada y me sonríe—. ¡Faith! ¡Sabía que lo conseguirías! ¡Tenía un presentimiento! —Se inclina hacia delante—. Soy un poco bruuuuuuja, ¿sabes? ¿Lo pillas? ¡Ja, ja, ja, ja!

Odio a la gente que pregunta si pillas un chiste después de contarlo.

Me dan ganas de gritar: «No. Deja de preguntarme».

—¡Claro que sí! —Me río—. ¿Hay algo que tenga que saber antes de entrar?

—¡Creo que no! —Sonríe—. Es más que nada una formalidad. ¡Adelante! ¡Te están esperando!

Respiro hondo y abro la puerta.

Hoy hay más gente sentada en el lateral de la sala, esperando y observando. Echo un vistazo a mi alrededor, presa del pánico. La señora con las gafas de carey, Teddy Winthrop y un hombre más joven al que no reconozco están de pie al frente.

Con una sola mirada a la cara de Teddy ya me queda claro que no fue decisión suya que volviese. Está rígido de furia.

—¡Faith Valentine! —El hombre al que no conozco da un paso hacia delante. Lleva una camiseta negra, vaqueros y tiene el pelo grisáceo (vaya, que lo ha clavado: el uniforme estándar de un director de cine)—. Soy Christian Ellis, el director de la serie, para mi desgracia. —Os lo dije—. Estoy encantado de que hayas podido venir.

Miro a Teddy. Tiene los labios tan apretados que forman una línea muy fina.

—Qué alegría —dice sin ganas.

—¡No! ¡Es fe! ¡Ja, ja, ja, ja! He visto tu primera audición —continúa el director con una sonrisa muy generosa—. Hay muchísimo con lo que trabajar, ¿sabes?

—Hay muchísimo trabajo que hacer —afirma Teddy seco.

—Esperamos que puedas brindarnos un poco de la magia Valentine hoy —dice Christian señalando una de las dos sillas que hay en frente del resto de la gente.

—Por supuesto. —Sonrío dulcemente y me siento, cada vez más confundida—. Gracias por llamarme.

¿Qué pasa? El director de casting me está mirando como si le hubiera vomitado en los pies. ¿Por qué estoy aquí?

—Estamos esperando a que llegue la otra actriz para poder empezar —aclara Christian.

Lo miro sorprendida.

«¿Qué otra actriz?»

—¡YA ESTOY AQUÍ! —La puerta se abre de golpe y deja una marca en la pared—. ¡Ya estoy aquí, ya estoy aquí! Oh, miércoles. ¿He sido yo? Pues es que había un tío en el tren y tenía las piernas abiertas de par en par y yo en plan «Tío, relaja con el *manspreading*» y él en plan «¿De qué mierda hablas?» y yo en plan «¿Estás protegiendo el diamante azul de *Titanic* o qué?» y él en plan «¿Qué me acabas de decir, pedazo de...?» —Una carcajada—. En fin, en resumen, me han echado del tren en la siguiente parada. Por lo tanto: llego tarde.

La chica de la puerta saca las manos y hace una reverencia, ¡tachán!

Luego me mira por debajo del flequillo decolorado, con una mirada felina y ojos verdes brillantes.

—Ah —dice con un tono plano—. Eres tú. Qué sorpresa...

—¡Atentos todos! —dice el director entusiasmado—. ¡Esta es Scarlett Bell, una actriz novel con muchísimo talento! Está nominada a actriz revelación en los premios Olivier. Estamos muy contentos de que vaya a interpretar el papel de Frankie.

—No gané —dice en voz muy alta—. Pero eso es bueno, porque todavía nadie sabe quién soy y así es mucho más divertido.

Chasquea los dedos a un chico que hay en la fila de atrás.

—¡Oye! Despierta, tío. Vas a ganar el premio al coma revelación. Ese no es ni la mitad de importante.

Luego empieza a reírse a carcajadas de su propia broma, tan fuerte que es incómodo, y se le escapa un ronquido como de cerdita de vez en cuando.

Mi cerebro está girando a toda velocidad.

—¿Frankie? ¿Tú vas a hacer de... Frankie?

—Sí. —Me sonríe con las mejillas sonrosadas. Tiene una sonrisa enorme y un poco malvada, como la del Joker en *Batman*—. Frankie. Frankester. Franko. Frankenstein. Esa eso yo. Pero...

—Entonces yo voy a hacer la audición para...

—Para quién te dé la gana, tía. —Scarlett se sienta en la silla que hay frente a la mía y se inclina hacia atrás con los brazos sobre la cabeza—. ¿Una piña? ¿Un pescador? ¿Un miembro nuevo del grupo de música de moda? Tú eliges.

Me quedo mirándola.

—Es broma —suspira—. Santo gatito. ¿De dónde habéis sacado a la Chica Famosa? Espera, creo que ya lo sé. —Empieza a hacer un zumbido—. Eras uno de los peces de la pecera, ¿no? No, calla. Eres la canción de mi alma. Oooh, ¿no has leído a Descartes?

Me arde la cara.

«Gracias, Noah.»

—Faith —Christina sonríe afable—, tu papel es el de Agatha. Pensaba que había quedado claro en los detalles que enviamos.

Genial... Me he pasado veinticuatro horas aprendiéndome las frases de otra persona.

«No, no, no, no, no, no, no...»

—¡No pasa nada! —Sonrío todo lo serena que puedo—. Puedo ser Agatha perfectamente. Dejadme un minuto que busque... —«Algo de cordura, el contenido de mi estómago, las ganas de vivir»—. Brillo de labios. Lo necesito para... meterme en el personaje.

Me hundo con pánico en el bolso e intento leer lo más rápido posible mi guion. Me tiemblan tanto las manos que no puedo ni pasar las páginas.

Scarlett se queda contemplando cómo tiemblan mis dedos durante unos segundos, luego me mira a la cara. Tiene una expresión más suave.

—Podemos leer, ¿verdad? —dice mucho más amable—. Señor Ellis, ¿puede sacar Faith su guion? La habéis pillado desprevenida, dejad que lea las frases.

—¡Por supuesto! —dice Christian—. ¡No pasa nada! No soy un monstruo como Teddy.

—Sí —dice este con un tono plano—. Esperar que una actriz se sepa de memoria unas cuantas frases para conseguir un trabajo muy prestigioso en el que tendrá que recitar dichas frases es demencial. Soy un ser malvado.

Sonrío a Scarlett en agradecimiento y saco el guion.

Me sé más o menos las frases de Agatha, pero no tengo ni idea de cómo es el personaje. Tampoco puedo evitar que me sorprenda que la cabra loca que está sentada delante de mí vaya a interpretar a la indecisa de Frankie.

Scarlett parece demasiado... presente.

—¡Hala, vamos al lío! —Como si pudiera oírme, da una palmada. Se encienden unos focos enormes y la cámara empieza a rodar—. Tengo que seguir gritando a extraños ofendidos y se me están gastando los sesenta años que me quedan.

Me guiña un ojo y carraspea.

Y, como por arte de magia, su cara pecosa cambia de pronto y se convierte en otra completamente diferente. De repente su boca es más dulce y más delicada; sus ojos almendrados pierden ese brillo travieso y se vuelven luminosos, puros, inocentes.

—Haz como que estás conduciendo —me susurra.

Yo me quedo mirándola completamente embobada. ¿Cómo ha hecho eso?

—¿Qué? —digo.

—Haz. Como. Que. Conduces. —Acompaña las palabras de un pequeño gesto con la ceja—. En la escena. Estás al volante, ¿te acuerdas?

—¡Ah, sí! Eh... —Saco la mano derecha con el puño el cerrado y pongo la izquierda sobre mi muslo. Parece que estoy subida a una vaca muy pequeña—. Vá...mo...nos.

Scarlett mira hacia abajo y, no sé cómo, la que vuelve a levantar la cabeza es Frankie, con la boca temblorosa.

—Hemos dejado atrás a Fred.

Y, por primera vez, siento de verdad el impacto de esa frase. Hemos dejado atrás al novio al que ama, en mitad de la nada, pidiendo ayuda. Nos hemos... ido.

—Sí —digo, leyendo el guion—. ¡No teníamos elección!

—¡Siempre hay elección! —Tiene la mandíbula muy tensa y, de pronto, Frankie ya no es débil, sino que se muestra fuerte y desafiante—. Hemos elegido salvarnos nosotras.

—¡Salvarte a ti! —replico. Pero comparada con ella, sueno muy plana, así que, en un arrebato de inspiración, agarro a mi coprotagonista por la camiseta y la agito—. A MÍ NO. SOLO A TI.

—Sigues conduciendo —susurra—. Volante. Palanca de cambios. Acelerador. Ojos en la carretera, por favor.

—Ah. —Le suelto la camiseta, muerta de vergüenza—. Lo siento.

—Hemos elegido salvarnos nosotras —dice mientras yo recupero el control de nuestro vehículo imaginario.

—De salvarte a ti. No a mí. SOLO A TI.

—No... No lo entiendo.

Y de verdad parece que no lo entiende. Frankie parece tan desconcertada de verdad que me gustaría parar la escena, sacar mi guion y decirle: «Mira, mira, lo pone aquí. En la línea nueve. Yo tampoco lo entiendo».

—Es demasiado tarde para MÍ —digo mirando la línea

diez , Hace seis semanas que es demasiado tarde para mí.

Un momento. ¿Qué?

—Quieres... Quieres decir... —Frankie muestra una expresión de pánico total. Se le retuerce un músculo de la mejilla y le entran escalofríos, como si sintiera una mínima repulsión—. No. No te creo.

«Tú eres el único personaje que queda vivo.»

Teddy me lo dijo literalmente en el último casting. ¿Cómo no me di cuenta de que a Frankie se la estaba llevando un zombi?

—¿Por qué me has ayudado? —Los ojos de la chica se anegan de lágrimas de verdad. ¿Cómo lo hace? Luego se llena de rabia—. ¿Por qué no has dejado que me quedara con Fred? ¿Qué me vas a hacer? ¿Cómo va a acabar esto?

Se me queda la boca abierta.

—YYYYYYYY... ¡COOORTEN!

Me quedo perpleja. ¿Cómo va a acabar?

—Bien, bien —dice Scarlett, levantándose de un salto y volviendo a ser ella—. Encantada de conocerte, Valentine. Voy a por una pizza, que me muero de hambre. ¿Me llamará cuando entre la próxima Agatha, señor Ellis? Me duele el trasero, ¡estas sillas son lo peor! ¡Chaíto!

Y se va.

20

Lo conseguí.

Me quedo mirando el agujero en la pared que hizo Scarlett al entrar y se me va relajando todo el cuerpo poco a poco.

Al menos estoy lista para tomar el relevo de las Valentine, correr hacia delante y llevar una vida a la altura de mi apellido. Para seguir los pasos de mi madre, de mi abuela, de mi bisabuela. Puede que hasta sea divertido: llevar disfraces, pasar el rato con los compañeros, aprenderse guiones, poder interpretar...

—¿Ves a lo que me refiero? —Teddy explota—. ¿Me vas a hacer caso ahora, Chris? Este es mi trabajo. Llevo cincuenta años en este negocio. Sé de lo que hablo.

—Ted, baja la voz.

—¡No! Soy el encargado de contratar al elenco de esta serie y tú invalidas mis decisiones, mermas mi autoridad y cuestionas mi profesionalidad...

—Este no es el momento ni el lugar...

—¡Y todo por unas migajas de publicidad gratis! Para que la serie salga en la prensa... ¡Sabías que te lo proporcionaría esta familia sin talento y que solo busca atención!

¿Una familia sin talento y que solo busca atención?

Un momento, ¿están hablando de mí?

Claro que no. O sea, estoy aquí mismo.

—Tú también lo has visto, ¿no? Me da igual lo guapa que sea o quiénes son sus padres o lo poderosa que es su abuela o el hecho de que esté con el Notas Comosellame. ¡No podemos contratarla!

—¡Theodore! —La mujer de las gafas de carey grita alto y claro—. ¡Basta!

Me miro las manos. Porque... sigo aquí, ¿verdad?

Teddy Winthrop parece que vuelve en sí de repente cuando se da cuenta de que todas y cada una de mis funciones auditivas se encuentran en pleno funcionamiento.

—Siento que hayas tenido que oír eso —dice, como si esperar a que me fuera de la habitación no hubiera sido una opción—. Estoy seguro de que eres una chica muy maja —añade tan amable como envenenado—. Pero esto es el mundo real, Faith. Quiero hacer una serie buena. Fantástica. No una... palmadita de nepotismo en la espalda de la familia Valentine.

—¿Me habéis elegido como campaña publicitaria? —Doy un paso adelante—. ¿Me disteis una segunda oportunidad y filtrasteis mi nombre solo para que la prensa escribiera sobre la serie?

—¡No! —grita Christian Ellis—. ¡No! ¡Para nada! Bueno, a ver. Sí. Sí, fue así. Pero también esperaba de verdad que fueras... ya sabes.

—¿Capaz de interpretar a una persona muerta?

—¡Exacto! —asiente—. Pero...

—No lo soy.

—No. Una pena —añade encogiéndose un poco de hombros—. Pensaba que podríamos conseguir algo con lo que trabajar, pero... creo que no hay nada.

Dentro de mí algo se derrumba. Respiro hondo y recompongo la cara para poner una expresión lo más dulce y bonita que puedo. Estoy relajada, soy elegante, estoy entera.

Mantener la compostura es muy fácil, lo único que tienes que hacer es enterrar tus gritos internos tan hondo que nadie sepa nunca que están ahí. Con la práctica suficiente, lo puede hacer cualquiera. Llevo años perfeccionando este arte.

—Lo entiendo perfectamente. —Sonrío y le doy un apretón de manos firme al director—. Gracias por su franqueza. Ha sido un auténtico placer conocerlo.

Luego me giro hacia Teddy Winthrop.

—Le agradezco su honestidad. —Hoyuelo—. Gracias por darme una oportunidad —le digo a la señora de las gafas. Hoyuelo—. Igual tienen a bien considerarme para otro proyecto cuando haya mejorado mis habilidades. —Hoyuelo. Hoyuelo. Hoyuelo.

Y me voy.

—Mmm —murmura Teddy mientras me deslizo en silencio hacia la puerta—. Ahora me siento mal.

—Bueno —dice la señora de las gafas de carey—. Deberías.

Toco el picaporte de la puerta y me quedo quieta unos segundos mientras se me cierra la garganta y me empieza a doler el pecho y mi sonrisa amenaza con romperse como una cuerda que se tensa demasiado.

«No. No. No. No.»

—Que tengáis todos muy buen día —digo por encima del hombro—. ¡Parece que va a hacer un tiempo espléndido! —Y me marcho sin mirar atrás.

«No.»

Cierro la puerta al salir y cierro los ojos un momento mientras la habitación me da vueltas y el corazón me late con más fuerza conforme el pánico se va apoderando de mi cerebro.

«NO, NO, NO, NO, NO, NO. NONONONONONONO...»

Cuando por fin los vuelvo a abrir, veo un trozo de papel en el suelo, así que lo recojo con cuidado. —¿Qué clase de persona tira basura en una recepción?—. Lo miro un instante y me lo meto en el bolso. Mi teléfono empieza a vibrar conforme lo saco.

LLAMADA PERDIDA: Noah

LLAMADA PERDIDA: Noah

LLAMADA PERDIDA: Noah

LLAMADA PERDIDA: Noah

LLAMADA PERDIDA: NOAH

Es muy mono, pero no me apetece hablar de lo que acaba de pasar. Todavía no. Y puede que nunca.

Le escribo un mensaje rápido:

> Sigo en la audición. Luego hablamos. Bss.

—¿Y bieeeeeeeeen? —La recepcionista me sonríe—. ¡Seguro que los has dejado pasmados! ¡Sabía que lo harías de fábula! —susurra con timidez—. A veces me dejan leer los guiones, ¿sabes? Por eso trabajo de recepcionista. ¡Es mi forma de entrar en el mundillo!

Sonrío, aunque ya no siento la boca.

—¡Buena suerte! —Tengo la cara como si fuera de plástico rígido—. ¡Crucemos los dedos! ¡Nos vemos!

Con un montón de signos de exclamación falsos, levanto los dedos cruzados y salgo del edificio. Me quedo esperando sentada en la limusina, elegante y contenida.

Porque «los Valentine siempre actúan con clase».

Aunque. No. Sepan. Actuar.

21

¿Por qué se les dice a los actores «mucha mierda»
si lo último que quieren es cagarla?

—Tantatachánnn. Plano cerrado de la cara de Faith Valentine. ¡Trompetas!

—¡Alfombra roja! ¡Pétalos de rosas! ¡Luces!

—¡Abre el sobre!

—Aaaaaaaaaquí está, damas y no tan caballeros, ¡la gran hermana Valentine mediana, el icono del cine inglés! ¡Faith! Cuéntanos, ¿cuál es tu inspiración? ¿De quién es ese vestido? ¿Cómo puedes andar con esos tacones? ¡Comparte tus secretos, encanto! ¡No somos dignos de estropear tu resplandor divino!

Me ponen en las manos un Oscar de verdad.

—¡El primero de muchos! Espera un momento, tenemos que sacarle brillo —lleva en el sótano unos diez años.

—Qué asco, tiene un trozo de papel higiénico pegado. Voy a despedir a alguien.

Me quedo mirando el premio dorado. Luego a mis hermanos, de pie delante de los escalones de casa. Han colocado una alfombra de baño rosa sobre el felpudo. Mercy me está tirando popurrí húmedo sobre la cabeza, Hope agita un sobre viejo y Max sostiene la lámpara del vestíbulo para que la luz me dé directamente en la cara.

—¡No tiene palabras! ¡Como una superestrella! Y ahora le da las gracias a sus padres, a su abuela, a la industria, a sus hermanas y, sobre todo, a su encantador hermano, sin el que nada de esto habría sido posible.

Max salta hacia un lado y se hace una reverencia a sí mismo.

—«¡Ay, muchas gracias, Max! Qué increíblemente guapo eres.» «Sí, ha sido todo un honor guiar a esta monita adorable durante sus años de preadolescencia y verla convertirse en la friki larguirucha y obsesionada con el deporte que es.»

Mercy me tira más popurrí.

—Y la ganadora es... —Hope abre ostentosamente una factura del gas y finge leerla con atención—. ¡Rihanna! Espera..., este no es. ¡Perdón! Qué momento más incómodo. ¡Faith Valentine!

Se me escapa una risilla por la nariz.

—¿Qué tal ha ido? —Po rompe la factura por la mitad—. ¡Cuéntamelo todo! ¡Estamos en pascuas!

—En ascuas. —Max sonríe—. Todavía queda mucho para pascua.

Yo me muerdo el labio.

—Creo que... —Miro a mi alrededor, a sus caras llenas de optimismo—. Ay..., es muy pronto para saber nada seguro... —«No podemos contratarla.»—. ¡Supongo que tendremos que esperar al mail de Persephone!

No voy a volver a mirar el correo nunca más.

—Venga ya —dice Mercy, acariciándome el brazo inesperadamente—. Anda, Eff. Hay que estar loco para no querer empapelar los autobuses de Londres con tu cara.

Me quedo pasmada observando a mi hermana mayor.

—¿Perdona?

La miro a ella y luego mi antebrazo. ¿Mercy... me ha tocado por voluntad propia? ¿Lleva algo escondido en la mano? ¿Un botón de descargas eléctricas tal vez?

—¡Puedo ser amable! —dice cruzándose de brazos—. Joder, Faith, déjame ser agradable por una vez en mi vida.

Sonrío y le doy un beso en la mejilla.

—Pero solo si no lo conviertes en una costumbre. Da un poco de mal rollo.

—Mimimimi —dice con ceño fruncido.

Max me empuja triunfante hasta llegar a la cocina.

—Te hemos preparado una tarta para celebrarlo. Y por «preparar» me refiero a «pedir» y por «tarta» me refiero a dónuts. Y un pícnic. Y por «pícnic» me refiero a... ¡TACHÁN!

Sobre la mesa hay una cantidad ingente de comida, como jamás la había visto en esta casa. Hay un montón de sándwiches de atún y tomate mal hechos, apilados en columnas a punto de derrumbarse. Bolitas de queso rebosan de los cuencos. Lo que parece ser un plato de huevos duros con trozos de cáscara. Bebidas gaseosas de color fosforito, algunas a medio beber, y un plato de minisalchichas con —me acerco para mirar bien— palillos de dientes blancos.

En el medio hay una bandeja de horno enorme cubierta de dónuts, cada uno con una letra escrita con el glaseado:

FEICIDADESEFFIE

—La «L» se cayó al suelo —explica Po chupándose los dedos—. Y me la comí. Por lo de la regla de los cinco segundos y eso.

Noto un nudo enorme en la garganta. ¿Qué sería de mí sin ellos?

—¡Caray! —Me siento con una sonrisa y cojo una salchicha—. Habéis contratado a un catering profesional y todo ¿Son los que organizan los cumpleaños de Brad Pitt?

—¡Más quisiera él! —suelta Max—. Ellos no pueden comer y luego quitarse los restos de entre los dientes con el mismo utensilio.

Nos sentamos alrededor de la mesa entre risas.

Max engulle un huevo duro entero, Po y Mercy empiezan a discutir por el último sándwich aplastado y las cosas vuelven a ser casi como siempre. Los gritos, las risas, los insultos, la comodidad. Casi como siempre.

—¡Eff! —dice Hope con la boca llena—. Mi idea para el regalo de aniversario de Noah es tan buena que será un gesto romántico sin preferentes en la historia.

—Sin precedentes —la corrige Max.

—¿Qué?

—Se dice «sin precedentes».

—Deja de ser tan premonente. —Mi hermana lo mira indignada—. ¿Cómo sabes lo que quiero decir si todavía no te he contado lo que es?

Mi teléfono empieza a vibrar justo cuando suelto una carcajada.

LLAMADA ENTRANTE: Noah

—Ahora lo miramos, Hope. —Sonrío—. Aunque es obvio que sea lo que sea lo que hayas pensado me parecerá perfecto. —Luego descuelgo el teléfono y me meto una bolita de queso en la boca. «Notas Comosellame.» LOL. Algo me dice que a mi novio no le parecería tan gracioso—. ¡Ey! ¿Qué tal? Estamos comiendo un pícnic horroroso.

—¡Oye! —Se queja Max mientras se mete otro huevo en la boca y se pone a mirar el iPad—. Qué maleducada.

Se escucha un ruido muy fuerte.

127

—...No... yo... último... que... —ruido— puedo...

—Noah, no te oigo. —Sonrío—. Estamos en la cocina. No hay cobertura, como siempre. Espera. —Me levanto y me meto otra vez en el hueco entre la nevera y la pared. Qué asco. ¿Eso es un calabacín podrido? ¿Cómo puede terminar tanta comida aquí detrás si ni siquiera cocinamos?

—...no...—ruido— puedo... yo...

—¿Noah? —Frunzo el ceño. Es como si estuviera dentro de una botella de refresco que acaban de agitar—. ¿Estás en el estudio? Espera un momento, tengo que...

—...Tú... —Ruido.

—Effie.

—Un segundo, Max —digo levantando un dedo, que me meto a continuación en el oído—. ¿Noah? ¿Pasa algo? ¿Me oyes...?

—...totalmente... de... —ruido— de...

—Effie.

—Espérate, Max. Noah está intentando decirme algo...

—...Explicar... —Ruido.

—¡FAITH VALENTINE! —grita Max a mis espaldas—. CUELGA EL MALDITO TELÉFONO AHORA MISMO.

Cuelgo, sorprendida. Mis hermanos me están mirando con los ojos muy abiertos. El iPad de Max brilla sobre la mesa de la cocina, delante de ellos.

—¿Qué? ¿Qué pasa? —Se me forma un nudo enorme en el estómago. Es algo de la audición, ¿verdad? Se ha filtrado la noticia y ahora todo el mundo sabe que soy una vergüenza para mi familia—. ¿Qué pasa?

—Siéntate, Effie —dice amablemente Max, sacando una silla—. Respira hondo muy despacio, porque esto va a doler, hermanita.

«¿El qué? ¿Por qué? ¿Quién?»

Mantén la compostura, Faith. Mantente entera.

—No me voy a sentar —digo con una voz misteriosamente relajada—. Estoy bien aquí, gracias. Por favor, enséñame lo que hay en la pantalla.

Me acercan lentamente el iPad.

Y, por un momento, nada tiene sentido: la foto, el titular, el texto. Al principio creo que es otra broma que no pillo. Un chiste muy malo escrito en un pósit, pegado en una pared y firmado con un beso.

Luego... lo entiendo.

ESTRELLA DEL POP DESPRECIABLE ES INFIEL CON UNA RUBIA MISTERIOSA

En la última hora, los fotógrafos han podido ver al número uno en ventas, Noah Anthony, en actitud muy cariñosa con una chica rubia desconocida. A Noah el travieso, que mantiene una relación seria con la preciosa celebridad Faith Valentine, se lo ha visto besando a una supuesta fan en la fiesta tras su concierto. ¿Supone esto el fin de Fainoah?

—Faith —dice Mercy en voz baja, con los ojos tristes—. Lo siento mucho.

Yo me quedo mirando el iPad.

Anthony lo niega todo, asegurando que «¡no es lo que parece!». Pero ¡mirad las pruebas (izquierda)! Las fuentes no han sido capaces de identificar a la rubia misteriosa, pero los espectadores han confirmado que el infiel de Noah estaba «completamente absorto».

No tiene ningún sentido. Noah me quiere; lo sé. Todo esto no es más que otra malinterpretación, otra historia falsa.

Puede que sea Photoshop. O el ángulo de la imagen; seguramente solo estuvieran charlando. A lo mejor es una foto vieja, de hace años, de antes de que nos conociéramos. Pero —miro más de cerca, entrecerrando los ojos—, está claro que es él. Y tiene la cabeza rapada.

Lo que quiere decir que la foto se ha hecho en los últimos dos días.

Y no cabe duda de que se están besando.

—¡Justo después de esa canción tan romántica que te dedicó! —Po se ha levantado de un salto, con los ojos húmedos y los puños cerrados—. No se merece mi gesto superromántico. Será... será... ¡Menudo inmaduro caca de pollo!

Vuelve a sonarme el teléfono.

LLAMADA ENTRANTE: Noah

La rechazo.

LLAMADA ENTRANTE: Noah

Vuelvo a colgar y me voy al vestíbulo, me siento en el final de la escalera, me quito los tacones y me pongo las deportivas fosforitas.

—¡Faith! —Max me quita enfadado una zapatilla de la mano y la lanza al pasillo—. ¡Para! ¿Qué narices te pasa? No puedes seguir... huyendo.

¿Que no?

—Ummm —dice Mercy mirando por la ventana del vestíbulo. Tiene las mejillas sonrojadas—. Eff, creo que vas a tener que correr muy rápido.

La miro agotada.

—¿Por qué?

—Porque los *paparazzi* ya están aquí.

22

No corro lo bastante rápido.

En pocos segundos, me planto en la puerta de atrás con una deportiva puesta y la otra en la mano —me la pondré mientras cruzo el jardín a pata coja—, pero cuando la abro, lo único que veo son flashes y lo único que escucho son gritos y preguntas. Retrocedo y vuelvo a cerrar la puerta.

—Cómo. —Me doy la vuelta y me quedo mirando a mis hermanos, que están detrás de mí y me miran preocupados—. No lo entiendo. ¿Cómo pueden estar en nuestro jardín? Es... ¡ilegal!

—Alguien debe de haberles abierto la puerta. —Max frunce el ceño—. Nos han engañado. Como vampiros. O repartidores.

¿Mamá? ¿Está tan loca que ha pensado que podíamos recibir a quince miembros de la prensa nacional en nuestra propia casa?

—¡FAITH! —grita alguien por encima del buzón—. ¡FAITH VALENTINE! ¿TE ENCUENTRAS BIEN? ¡ESTARÁS DEVASTADA!

El corazón se me acelera cada vez más.

LLAMADA ENTRANTE: Noah.

Vuelvo a colgar.

—Es que no sé qué... No creo que pueda... —Me empiezan a arder las mejillas y se me cierra la garganta—. Por favor, ¿puede echarlos alguien?

—Por supuesto. —Max se pone recto y se vuelve el doble de alto—. Yo me encargo. Vete a tu habitación, Eff, no te preocupes.

Mi hermano se remanga las mangas como si fuera a arreglar la situación con unas cuantas llaves.

—¡Y yo voy a destrozarlos! —chilla Po a su lado, sacando la mandíbula como si fuera un bóxer—. ¡Voy a...! ¡Voy a...! ¡Voy a sacarles sus minicerebros por las orejas con... palillos de dientes, y luego voy a asarlos en una barbacoa, y después voy a coger los trozos de cerebro a la parrilla, les voy a echar salsa y me los voy a comer!

Nos olvidamos por un momento de lo que está pasando y nos quedamos mirándola.

—Madre mía, Hope —dice Max—. Eres un poco exagerada. Solo están haciendo su trabajo.

Se lo piensa.

—O también puedo gritar: «¡LARGAOS DE AQUÍ, TROZOS DE POLLO MOHOSO!» lo más fuerte que pueda.

—Eso está un poco mejor.

LLAMADA ENTRANTE: Noah

Cuelgo.

Empiezo a subir las escaleras cada vez más angustiada. Estoy deseando llegar a mi habitación, a mi lugar seguro, donde puedo tirarme en la cama a oscuras y averiguar cómo...

—O... —dice Mer despacio—. Podrías salir.

—¿Qué? —Me paro.

—Podrías hablar con ellos. —Le brillan los ojos—. Tener algo de control sobre lo que escriban. Poner tus propias palabras a la historia. Dejar de permitir que todo el mundo hable por ti. No tienes que ser la víctima, ¿sabes?

Mi hermana mayor me está mirando con atención.

—Aaanda —dice Max volviendo a bajarse las mangas—. Claro. Olvida mi idea, eso es muchísimo mejor. Yo haría eso.

—Pero... —Vuelvo a bajar despacio algunos escalones—. No sé cuál es mi historia. Ni siquiera sé qué ha pasado, en general. Tengo que hablar con Noah antes.

LLAMADA ENTRANTE: Noah

—¿Y concederle el gusto de ponerte una excusa de mierda? —Mercy tiene los dientes ligeramente apretados—. Algo en plan: «No es lo que parece, tienes que creerme, fue un error, te quiero, cariño, por favor, ¿por qué no olvidamos todo esto?». Él ya ha dicho lo que tenía que decir, Eff. Ha hablado con la prensa. Ahora te toca a ti.

Vuelvo a colgar la llamada. Bajo un escalón más, confusa.

—Y... ¿qué hago?

—¡Grita! —dice Hope emocionada—. ¡Chilla! ¡Rompe cosas!

—Llora —propone Max—. Ponte supertriste y mocosa. Así él quedará fatal.

—Abre medio atontada. Como si te importara tan poco que te has quedado dormida.

—Resuelta y digna. Lista para perdonar, pero únicamente después de que lo ruegue un millón de veces.

—¡Y valiente!

—¡Y contenta!

—¡Despreocupada!

—¡Resistente!

Por el amor de...

—¡¿PODÉIS DEJAR DE GRITARME INSTRUCCIONES?! ¡NO ME AYUDA! —Me giro hacia mi hermana mayor. Sigue callada, pero lo que necesito ahora mismo son su fuerza y sus consejos—. Mer, ayúdame. ¿Qué les digo?

Mercy frunce el ceño.

—De eso se trata, Eff. Puedes decirles lo que tú quieras.

No tengo tiempo para pensar. Max abre con cuidado la puerta principal para anunciar que saldré a «aclarar la historia» en diez minutos, luego me llevan a la habitación de Hope y llevan a cabo lo que ella llama La Mejor Transformación Para Un Corazón Roto. Nadie es capaz de decidir si debería estar impecable —«¡No me afecta nada lo que hagas!»— o desaliñada —«Estoy destrozada»— o elegante —«¡Por fin vuelvo a ser libre!»— o con los ojos rojos y la nariz hinchada —«¿Cómo has podido hacerme esto a mí?»— o resplandeciente —«¡Ya lo he superado!».

—Es muy difícil decidirse —comenta Hope con frustración, sacando su enorme caja de maquillaje—, ¿qué tono de lápiz de labios dice: «Mi novio se besa con chicas mientras yo estoy en casa metida en la cama»?

Max la mira y niega con la cabeza.

—¿Qué? —Abre mucho los ojos—. ¿Qué he dicho?

Cuando me vuelven a llevar abajo, estoy radiante y destartalada; descompuesta y descansada; iluminada y mate, enredada y brillante: todo con manchas deliberadas de rímel y un lápiz de labios rojo chillón.

—A ver —dice Max frotándose las manos—. Recuerda, es un miserable, tú eres una diosa, él no te merece, vales demasiado para esa basura, has salido bien parada y todo eso.

—¡Te queremos! —Po me salpica un poco de agua en la cara y emborrona un ligeramente el delineador—. ¡Mucho, mucho! ¡Buena suerte!

Mercy me inspecciona la cara y me aprieta el brazo. La puerta se abre.

—¡FAITH! —Flash—. ¡FAITH VALENTINE! ¿CÓMO ESTÁS?

—¿CÓMO TE SIENTES DESPUÉS DE ESTA TRAICIÓN? ¿SOSPECHABAS QUE TE ENGAÑABA?

—¿CÓMO TE HAS ENTERADO? ¿TE LO HA CONTADO NOAH?

—¿LO VAS A PERDONAR?

—¿QUIÉN ES LA CHICA? ¿ES AVERY?

—¿ES LA GOTA QUE COLMA EL VASO DE VUESTRA RELACIÓN INTERMITENTE?

Abro la boca.

PIIIIIIIIIIIIIIIIIIIIIIIIIIIIIIIIIIIIIIIIIIIIIIIIIIIIIIIIIIIIIIIIIIIIIIIIIIIIII.

Todo el mundo se da la vuelta. Una limusina plateada enorme entra por el sendero. Se detiene con un crujido, una puerta se abre violentamente y mi abuela golpea el suelo de grava con su bastón como si fuera la pata de palo de un pirata.

Todos dan un paso atrás.

—¡Fuera de aquí! —Levanta el bastón y lo mueve de un lado a otro—. ¡Largaos, carroñeros! ¿Os creéis que esto es un circo? Somos los Valentine. ¡No estáis en una de vuestras islas románticas!

Se produce un silencio confuso. Luego vuelven a comenzar algunos gritos.

—¡Dama Sylvia! —Le dan un pequeño golpe en la cara con una grabadora—. ¡Dama Sylvia! ¿Qué tiene que decir respecto a la infidelidad que ha sufrido su nieta? ¿Pensó siempre que Noah Anthony era un inútil?

—Sin comentarios —suelta la abuela.

—¿Y le parece que existe conexión entre esto y los recientes rumores de la infidelidad de su yerno, Michael?

—Sin comentarios.

—¿Cómo se siente Juliet ahora que le ha pasado lo mismo a su hija?

Doy un paso atrás. Con todo este caos, ni siquiera se me había pasado por la cabeza que fueran a relacionar los dos temas.

«Las Valentine, incapaces de retener a un hombre.»

La abuela se para en seco.

—¿Está sugiriendo... —comienza, poniéndose recta hasta alcanzar su altura máxima— que las mujeres son las responsables de los comportamientos poco apropiados de los machos de su especie?

Y eso hace que todos cierren la boca.

—¡LARGO DE AQUÍ! —explota con su voz teatral más dramática, golpeando el suelo con el bastón a escasos centímetros de los pies de uno de los periodistas—. ¡Venga! ¡Largo! —Otro golpe—. O me aseguraré de que os paséis el resto de vuestras carreras escribiendo sobre gatitos atrapados en árboles, celebraciones locales y fiestas de cumpleaños de nonagenarios.

En pocos segundos, los escalones de la entrada están completamente vacíos y nos quedamos mirando cómo van desapareciendo las furgonetas de los *paparazzi* por el camino.

—Abuela...

—¿Qué te he dicho de abrir la puerta? Querida, tienes un aspecto espantoso. Hope, ve a la cocina y prepárale a tu hermana una taza de té.

23

—Totalmente inaceptable... viviendo como bárbaros... queso en el suelo... vuestra madre no está... vuestro padre dando tumbos por ahí... espantoso... como salvajes... en mi vida...

Sigo yendo y viniendo mentalmente.

Tengo los ojos abiertos y la espalda recta, pero no paro de salir a la superficie y volver a hundirme.

—Sí, abuela.

—No es lo que yo... No te vayas a creer... para nada tu culpa... comportamiento despreciable... te culpes...

—Sí, abuela.

—...cultura moderna... actitud... sin integridad...

—Lo siento, abuela. Te agradezco la visita, pero creo que necesito tumbarme un rato —digo al ponerme de pie.

Subo la escalera lentamente.

LLAMADA ENTRANTE: Noah

—Qué. —Mi voz es grave.

—¿Cariño? —Noah resopla con fuerza—. Eff, gracias a Dios. Tienes que escucharme. Lo han exagerado todo, ya sabes cómo son, lo lían todo. Tú eres el amor de mi vida, nunca te haría daño. Podemos arreglar esto juntos si me dejas...

—¿Lo hiciste?

Se queda callado un instante.

—El tema es que no sé muy bien cómo... Surgió de la nada y...

—¿Lo hiciste, Noah?

—Parece peor de lo que fue, te lo juro. Duró como un minuto y ni siquiera hablé con ella...

—Noah, ¿has besado a otra chica o no?

Silencio.

—Sí. Effie, lo siento muchísimo.

—¿Quién era?

—No lo sé. Una tía cualquiera. No importa, lo único relevante es que te quiero, que te elijo a ti, que tú eres con quien quiero estar y tienes que escuchar lo que tengo que...

—Gracias por llamar, te agradezco la información. Que tengas un buen día.

Cuelgo y sigo andando.

Ping.

Mi entrevista exclusiva con Faith Valentine tuvo lugar en su dormitorio, en la mansión de la familia en Richmond, un espacio blanco vacío que ella describe como «su paraíso». «Que consideren contar contigo para el papel protagonista de *Quincena de terror* es un placer», afirma algo distante.

—Siempre he querido dedicarme a la interpretación, desde que era pequeña. Tener la oportunidad de ser tantas personas diferentes, de vivir tantas vidas, de contar tantas historias... tiene una especie de... magia.

Faith Valentine está impecable, comedida y —por

supuesto— asombrosamente guapa. Pero tiene algo plano, una especie de ausencia: una cualidad demasiado pulida que es, en cierto modo, repelente. Habla como si estuviera recitando (mal) las frases de un guion. Su mirada está vacía. El único momento en el que se anima es al hablar de su novio, la estrella del pop Noah Anthony.

—Estamos muy unidos —afirma entusiasmada—. Sentir un amor tan fuerte es una bendición. Nuestra relación es sólida como una roca.

Y, en una chica de solo dieciséis años, es complicado no encontrar esta afirmación tanto perturbadora como triste. Me pregunto: ¿es el tipo de chica a la que querría parecerse toda una nación de adolescentes? ¿No es su popularidad entre los jóvenes una señal preocupante del mundo en el que vivimos?

Con el aumento inexplicable de su fama, solo el tiempo dirá.

Qué simpática.

Abro la puerta de mi habitación. Hay un montón de revistas de moda encima de la cama, junto a una manta doblada, y una taza de sopa de tomate enfriándose lentamente en mi mesita de noche.

Miro al suelo, que está cubierto por una niebla morada que sube lentamente por mis pies hasta que ya no los puedo ver.

—No.

La nube sigue subiendo hasta que me desaparecen las piernas.

—¡No!

Me cubre el vientre, la cintura, las manos.

—NO.

Ahora los brazos, el pecho, me sube por el cuello hasta que solo soy una cara y no puedo respirar y no veo nada y estoy desapareciendo y ya no estoy ya no estoy ya no...

—NO, NO, NO, NO, NO.

Grito con fuerza y me giro hacia el espejo. Mi cara me resulta extraña, es como un montón de rasgos distorsionados que ya ni siquiera reconozco.

—¡NO!

Cojo una silla y corro hacia delante, hasta que la estampo contra el cristal una y otra vez y otra y otra y otra. No se rompe, pero se resquebraja, más, más, más, más... hasta que lo único que puedo ver es mi reflejo dividido en miles de fragmentos.

Crash.

Un fragmento es amable, otro agradable, otro precioso.

Crash.

Otro es una pesadilla, una diva, un horror.

Crash.

Están la víctima y el icono, la aburrida y la diosa, la falsa y la cariñosa. Crash, crash, crash... Hasta que lo único que veo es a un millón de chicas atrapadas en el espejo: todas las personas que tienen que ser, todas las personas a las que tienen que agradar, todas las vidas que tienen que vivir, todas las vidas que no están viviendo.

Crash.

Y no sé qué es real y qué no. No sé quién soy de entre todos esos fragmentos.

Toc, toc. ¿Quién llama?

Crash.

NO LO SÉ.

24

Con la respiración agitada, dejo la silla en el suelo y me meto en el baño. Cojo la maquinilla eléctrica, la enchufo y me la paso despacio por el centro de la cabeza, por la frente, por ambos lados. Sigo hasta que me quedo completamente calva.

Saco una tarjeta blanca de mi bolso y cojo mi teléfono.

—Hola, soy Faith Valentine.

—Anda, hola. Me preguntaba cuándo ibas a llamar.

CON EL CORAZÓN ROTO

Faith Valentine está desesperanzada y sin palabras (imagen de la izquierda) tras la infidelidad de Noah Anthony (aquí). Pillado con las manos en la masa en el primer aniversario de la pareja, la estrella del pop ha desaparecido de la faz de la tierra.

PERDIENDO LA FE

Fuentes del sector afirman que Faith Valentine ha rechazado *Quincena de terror* por «circunstancias personales». Una nota de prensa oficial confirma que «la salud y la felicidad de Faith son importantes para nosotros. Le deseamos toda la suerte del mundo en estos momentos tan difíciles».

NOAH ANTHONY DICE QUE NO SE HA TERMINADO.
«No me voy a rendir», explota la estrella del pop Noah Anthony en una REVELACIÓN EXCLUSIVA. «Faith es el amor de mi vida. Voy a recuperarla.» Su nuevo single, La fe dentro de mí, sigue siendo número uno en todas las listas, y afirma que sin Faith él «no sería nada». Ya son varias las chicas sospechosas de ser la «rubia misteriosa», entre ellas, Avery Evans, una bailarina de la gira con la que Noah ha sido fotografiado en repetidas ocasiones.

¿Ves, Kevin? Esto es lo que pasa cuando las tías buenas salen con idiotas millonarios y no con chicos majos y normales, como yo.

Ahora me toca mostrarle a Effie que yo soy el elegido. ¡Estad atentos, T-estarudos!

¡HAZTE CON EL LOOK VALENTINE! DIEZ PINTALABIOS ROJOS PARA DECIR: "TÚ TE LO PIERDES, TÍO!".

25

¿Cuál es la forma más rápida de sacar un diez?

Sacando un uno en el primer examen y un cero en el siguiente.

No suelo ser demasiado dramática, pero...

—A tomar por saco —digo, saltando por la ventana como todas las adolescentes de todas las películas estadounidenses que se han filmado.

La mansión de los Valentine ha sido mi casa toda mi vida. Conozco cada rincón, cada pasadizo secreto, cada repisa de mármol. Pero ahora, de pie en la escalera de incendios, me doy cuenta de que nunca la había visto desde este ángulo. La humedad de la estructura, el musgo en las tejas; el par de medias negras rotas que cuelgan de la ventana de la habitación de Mercy, balanceándose con el viento.

Me pongo la capucha de mi sudadera verde lima y me inclino con cuidado sobre el peldaño más alto, observando el camino y esperando. Por fin, las puertas se abren con un ruido metálico y aparece un Mini naranja aplastando un montón de geranios rosas. Luego se choca con una estatua de Afrodita emergiendo de una concha.

Respiro aliviada.

—¡Uy! —dice Scarlett Bell asomando la cabeza por la ventana—. ¡Le he roto una teta! ¡Perdón! Por cierto, el código de vuestra puerta es muy fácil de adivinar.

Trago saliva, bajo y vuelvo a colocar a la diosa del amor en su sitio. Luego me quedo mirando el coche de Scarlett. Está descolorido y lleno de pegatinas de viajes: París, Venecia, México, Australia... Como una maleta abarrotada.

También tiene alerones.

—Esto... —digo mientras aparto un montón de envoltorios de chocolatinas del asiento del pasajero y me siento—. ¿Puedes... conducir... sin... un adulto que supervise?

No quiero parecer criticona, pero esa estatua pesa un quintal.

—Nah, no pasa nada. —Scarlett está comiéndose una bolsa de patatas: absolutamente todo en un radio de seis metros apesta a queso y a cebolla—. Tú tienes carnet, ¿no?

Me quedo mirándola.

—No.

—¿No? —Abre mucho los ojos—. Estás de coña. Pero si tienes unos cuarenta tacos...

Es una broma. ¿Es una broma?

—Tengo... dieciséis.

—¿En serio? Caray. En fin, será mejor que nos vayamos superrápido si queremos evitar a la policía. —Scarlett sonríe, aprieta el acelerador, sale disparada por el sendero y gira tan rápido que la inercia la inclina hacia la puerta.

Luego mira mi cara y se ríe.

—Es broma, Valentine. —Engulle otro montón de patatas: crunch, crunch, crunch—. Aprobé el examen el mes pasado. La L me da un poco más de cancha si la lío en la carretera. Pero, madre mía, qué cara has puesto.

Me quedo en silencio mientras cruzamos Richmond a toda velocidad. ¿Por dónde empiezo?

«El que era mi novio desde hace un año me ha engañado y los *paparazzi* me persiguen y la prensa me está diseccionando como si fuera una rana y no sé actuar y mi futuro ha implosionado y acabo de destrozar mi habitación y creo que me estoy volviendo loca y te he llamado porque no tenía a nadie más a quien acudir. Ah, y eres una completa desconocida. ¿Tú qué tal?»

—Scarlett —digo por fin, quitándome la capucha y mostrándole mi cabeza desnuda. Me siento muy expuesta y vulnerable, como si fuera una ardillita bebé—. ¿Me dejaste tu tarjeta en el suelo de la recepción a propósito?

—Claro que sí —dice mirándome, y sonríe—. Me costaron un pastizal.

—¿Por qué lo hiciste?

Scarlett se lo piensa unos segundos, luego inclina la cabeza hacia atrás y se mete el resto de las patatas en la boca. Sopla dentro de la bolsa hasta que está lista para explotar.

La sacude —«Esta eres tú»— y le da un golpe fuerte contra el volante —¡PUM!—. Yo doy un brinco.

Me quedo mirándola a ella y a la bolsa reventada. Luego, suspirando profundamente, sonrío y reposo la cabeza calva en el asiento mientras todo mi cuerpo colapsa aliviado.

No tengo que explicarle nada. Ella ya lo sabe.

Cuando el Mini destartalado se vuelve a parar ya ha oscurecido. Hemos aparcado delante de un bloque de pisos: rectangular, de cemento gris, con ventanas mugrientas y ropa colgada en los balcones.

Nos sentamos en silencio durante un rato más, mirando la vida pasar.

Hope tenía un jerbo cuando era pequeña. Nos parecía muy gracioso a todos: corría y corría y corría y corría en su ruedecita, de repente se le escapaba un pie y empezaba a dar vueltas y vueltas hasta que salía disparado.

Yo me siento así ahora mismo, más o menos: desequilibrada, con las piernas todavía calientes, intentando averiguar dónde he aterrizado.

Ping.

Lo siento mucho, Eff. Fue solo un beso.
Por favor, háblame. ☹ N. Bss.

Se me forma un nudo en el estómago y se me cierra la garganta. Me quedo mirando el emoji triste de Noah. ¿Lo llamo? Sí, lo voy a llamar. Solo fue un beso, lo siente y...

Ping.

Hola, Faith. Llevas veinticuatro horas
sin publicar nada. Para conseguir
mantener a tus seguidores satisfechos
y que el algoritmo no te fastidie, lo
mejor es publicar tres fotos al día, así
que te adjunto varias opciones (en
estos tiempos difíciles). Genevieve

Hay una foto mía con un crop-top, metiendo barriga y mirando distante al océano (una de mis vergonzosas sesiones de fotos). Debajo: «Con el nuevo día, llegan nuevas fuerzas y nuevos pensamientos –Eleanor Roosevelt #fuerzainterior».

Luego otra foto: yo, sonriendo cariñosamente y con un perrito con la carita aplastada en brazos: «Una mente relajada te aporta fuerza interior y confianza en ti mismo –Dalai Lama #positividad».

La tercera: yo en una alfombra roja, con las manos en las caderas: «Dominar a los demás es fuerza; dominarte a ti mismo es el auténtico poder –Lao Tzu #canalizatuenergía».

Eeeh.

Han pasado unas seis horas desde que salió a la luz la noticia. Ni siquiera he podido pararme a pensar en cómo me siento, como para considerar cómo reaccionaría Eleanor Roosevelt en una situación parecida. Genevieve podría haber escrito «FAITH TIENE EL CORAZÓN ROTO PERO NO ES PATÉTICA NI ESTÁ SUFRIENDO UN COLAPSO ESTÁ PERFECTAMENTE Y MIRAD QUÉ ABDOMINALES TIENE Y LO BIEN QUE SE LE DAN LOS ANIMALES. ¡ES UN PARTIDAZO!»

Pero nada de eso refleja que, cada vez que pienso en Noah, siento que me están arañando las tripas con un rastrillo. Y que escuchar algo sobre él es como si me las sacaran con una pala.

Pero las reglas son las reglas, así que...

—¿Qué haces? —Scarlett frunce el ceño y se inclina hacia mí—. Por Dios, qué foto más horrible. ¿Por qué miras así al mar?

—Pues...

—Y esa otra es aún peor. ¿Es tu perro?

Se me ponen las mejillas rojísimas.

—Nos lo dejaron para que pareciera... sensible. Soy alérgica a los perros. Me dan urticaria.

—Já. ¿Y sabes quién fue Lao Tzu?

Me arde la cara.

—No.

—Un antiguo filósofo chino, el que fundó el taoísmo. —Se ríe—. Igual te sorprende lo que te voy a decir, pero sospecho que el universo sobrevivirá sin tus selfis y sin tu sabiduría de pega. Además, si citar al Dalai Lama no es como pedir ayuda a gritos, no sé qué lo será.

Tuerzo la nariz. Yo también pienso lo mismo, pero...

—Tú no lo entiendes —le explico a Scarlett mientras se aplica el maquillaje mirándose en el retrovisor—, soy una Valentine, todo el mundo está pendiente de lo que hago... Tengo millones de seguidores... Debo mantener una imagen positiva..., ser un modelo a seguir, mostrar fuerza ante la adversidad y dignidad y... y...

Scarlett me mira con el delineador listo. Nunca en mi vida me había sentido tan falsa. Ni siquiera cuando una maquilladora me pintó unos abdominales con espray.

—Y haces siempre lo que debes, ¿verdad?

Silencio.

—Sí —admito por fin.

—Claro. —Scarlett sonríe y abre la puerta del coche—. Empecemos por ahí. ¿Nos vamos?

Conforme el ascensor destartalado nos lleva hasta casi la última planta del bloque de pisos, empiezo a escuchar un ruido cada vez más fuerte. Gritos. Voces. Risas. Los tonos sordos de un bajo. Gente. El corazón empieza a latirme cada vez más deprisa y noto cómo aumenta el pánico.

Las puertas del ascensor se abren despacio.

Desconcertada, me quedo mirando fijamente a una chica que está vomitando por el balcón mientras otra persona le sujeta el pelo; a un chico sentado en el suelo, llorando; a una chica con una cresta rosa que lleva a un chico a caballito por el pasillo mientras chilla.

Vuelvo a subirme al ascensor muy rígida.

«Corre.»

—En fin —digo con una sonrisa educada—, ha sido un auténtico placer conocerte, Scarlett. Muchas gracias por venir a recogerme, ha sido fantástico. Me acabo de dar cuenta de que tengo una cita muy importante al otro lado de la ciudad y no puedo faltar.

Pulso el botón del ascensor. Con fuerza.

«Pulsa.»

«Pulsa.»

«Pulsa, pulsa, pulsa, pulsa, pulsa...»

—¡Estate quieta! —dice Scarlett con firmeza, sacándome otra vez del ascensor—. Lo vas a romper y al final tendremos que utilizar todos las escaleras.

—Lo siento —digo, mirando al suelo.

—¡Joder! —Scarlett me examina la cara—. Eres un cisne, ¿eh? A simple vista eres pura serenidad, pero no paras de mover las piernas bajo el agua. —Hace movimientos con las manos—. Mierda, mierda, mierda, MIERDA.

Me quedo con la boca abierta.

—Es solo una reunión de amigos —dice, dirigiéndome amablemente hacia la puerta de un apartamento muy pequeño—. No es para tanto. Habrás estado en muchas fiestas, ¿no?

Parpadeo y me quedo mirando el caos.

El piso está oscuro y brumoso, iluminado únicamente con lucecitas pequeñas colgadas por las paredes. Están sonando, al menos, tres tipos de música diferentes a la vez, hay cañones de confeti, botellas y platos esparcidos por todas partes, al menos unas cincuenta personas riéndose, gritando, hablando a voces, bailando. Está abarrotado, húmedo, hace mucho calor y me retumban los oídos.

Esto no es una fiesta. En las fiestas hay alfombras rojas y una lista de invitados, vestidos de diseñadores, lámparas, camareros, canapés, contacto visual de varios niveles y preguntas inapropiadas. Empiezo a calmarme automáticamente, me aíslo y preparo mis frases. Con una sonrisa, me muerdo el interior de la mejilla y...

—Deja de poner ese hoyuelo falso —dice Scarlett—. Te va a salir una herida en la boca.

Dejo de sonreír, alucinada.

—¡EH! —grita Scarlett por encima de la música—. ¡ES-CUCHAD! ¡ESTA ES EFFIE! ¡ES NUEVA! ¡SALUDADLA!

—¡Hola!

—¡Genial!

—¡Fantástico!

La fiesta continúa.

—¿Ves? —Scarlett coge una bebida de color rosa chillón y me la da—. A nadie le importa, Valentine. A. Nadie. Le. Importa. Una. Mierda. Quién. Eres. Ni. Lo. Que. Haces. —Son-ríe—. Es agradable, ¿a que sí?

26

Estate. Tranquila.

«Pero sé también cálida, Eff; no entres en modo reina de hielo.»

—Yo...

—¡Baño! —anuncia Scarlett—. Me meo. —Sin decir nada más, desaparece.

Trago saliva y me adentro en la fiesta hasta llegar a una puerta que da a un salón diminuto: oscuro, abarrotado y denso, lleno de extraños sudorosos, sonrientes y que hablan a voces. Las luces parpadean, una música que no conozco suena a todo volumen y no hay ningún ritmo, solo una masa poco coordinada moviendo las cabezas, saltando, deslizándose, girando.

—¿Bailas?

Me doy la vuelta y me encuentro con un chico de pelo rojo que mueve los brazos con entusiasmo, como un pájaro de un documental de naturaleza.

—¿Perdona?

—He dicho que SI BAILAS.

—¡Sí! —Asiento y miro hacia la pista improvisada—. ¡Ballet! Es muy relajante y te ayuda a conectar con la tierra. Es un ejercicio que llevo disfrutando desde que era...

Hago una pausa en mi respuesta oficial y miro a mi alrededor, a la multitud moviendo los brazos con alegría.

—No —admito poniéndome colorada—. La verdad es que no.

—¡Pues ven conmigo!

El chico me coge de la mano y empieza a balancearla de un lado a otro mientras mueve unas baquetas imaginarias en el aire con su otra mano. Damos saltitos durante unos minutos mientras busco la forma de hacer esta interacción un poco menos incómoda.

—¡EEEH! —grito por encima de la música, inclinándome hacia él—. ¿QUÉ DICE UN BAILARÍN LADRÓN DE BANCOS?

—¿QUIÉN? —El chico tiene los ojos completamente cerrados.

—EL LADRÓN.

—¿CÓMO?

—¡TODO EL MUNDO ABAJO!

—¿QUÉ?

—ES UN... —Me arden las mejillas. «...chiste que ha fracasado estrepitosamente»—. ¡Da igual! ¡Ha sido un placer conocerte! ¡Gracias por el baile! ¡Voy a por unos refrigerios! ¡Hasta luego!

El chico asiente y sonríe, con los ojos todavía cerrados.

Rígida como una cuchara de madera, intento cruzar el salón para llegar hasta la zona de la cocina, encajada detrás de una estantería.

—Disculpa —digo dulcemente, golpeando con cuidado unos hombros enormes—. Disculpa, por favor. Lo siento. Perdón. Disculpa. ¿Te importa si...?

Y entonces me paro en seco.

Un chico despeinado está sentado en el borde del sofá con una guitarra. Está tocando con la cara muy seria, aunque la otra música suena demasiado fuerte como para que nadie escuche nada.

Me acerco un poco a él.

—¿Noah?

El chico levanta la mirada y, evidentemente, no es él. La guitarra no es igual, su postura es distinta, lleva otra ropa, un peinado diferente, otra sonrisa... Es otra persona, en definitiva. Además, Noah no vendría a esta fiesta.

Pero su sonrisa me desarma.

«Noah.»

Y, de pronto, esa foto borrosa de la fiesta deja de ser simplemente una foto: es algo que está pasando justo delante de mí. La forma de los labios que tan bien conozco; el sabor a café en su aliento. ¿La conocería de antes? ¿Se fijó en la rubia durante toda la fiesta? ¿Y ella en él?

Cuando le sonrió a mi novio, ¿él le devolvió la sonrisa? ¿Durante cuánto tiempo se olvidó de mí?

Porque eso de «solo un beso» no existe. Si existiera, yo podría agarrar a un completo desconocido por la cara ahora mismo, acercarlo a mí y besarlo.

El chico mono de la guitarra me hace un gesto con la mano y asiente —«Ven a sentarte a mi lado»—, pero yo doy unos cuantos pasos atrás con el estómago revuelto.

«No puedo, no puedo...»

—¡Ten cuidado! —Una chica me mira enfadada cuando me choco con ella y hago que se le caigan un montón de galletitas saladas—. Te has lucido, Famosa. Era la última bolsa.

Parpadeo mirando cómo cierra de un golpe un armario.

Aún tambaleándome, me pongo de rodillas en el suelo y empiezo a recoger las galletitas saladas y a meterlas de nuevo en el cuenco. El suelo está lleno de porquería, así que recojo también sin querer algunas patatitas. Hay manchas de salsa, cojo una servilleta de papel de encima de la mesa y empiezo a limpiarlas, luego hago lo mismo con un manchurrón de cola que había en el medio de...

—Eh... Te dejo sola unos seis minutos y te encuentro en el suelo ¿haciendo qué, exactamente?

Levanto la cabeza y miro a Scarlett.

—Limpiar.

—Sí, ya lo veo. —Se cruza de brazos—. Más bien quería saber por qué.

Me quedo con la servilleta hecha una bola en la mano.

—Porque he tirado un cuenco —digo despacio—. Así que lo he recogido. Y luego también había..., pues, más cosas, así que... también las he limpiado. —Las mejillas se me van poniendo cada vez más rojas—. Dedicarle unos segundos ahora mismo evitará que penetre en la moqueta y que el pobre anfitrión tenga que lidiar con ello mañana. No sé, tiene sentido.

—Ah, o sea que ni siquiera lo has ensuciado tú. —Scarlett pone los ojos en blanco—. No tienes que responsabilizarte de todo, Faith Valentine.

—Ya lo sé, pero...

—Es evidente que no lo sabes. Deja de buscar formas de evitar divertirte de verdad.

Vacilo un poco.

—Espera un...

—Levanta. Ya.

—Voy a...

—Ya. —Con el ceño fruncido, Scarlett coge un bote de salsa barbacoa y lo derrama en el suelo, a mi lado—. Bueno, ¿qué? ¿Vas a limpiar también mi mierda?

Me quedo mirando la mancha marrón.

—¿Y esto? —Empieza a echar mostaza al lado—. ¿Esto? —Mayonesa—. Ah, ¿y esto qué? —Kétchup—. ¿Qué? ¿Vas a frotar, frotar, frotar toda la noche porque me apetece dar por saco?

Estoy muy confundida.

¿Por qué haría alguien algo así? Es muy desconsiderado, insensible...

Noto cómo cae un montón de kétchup sobre mi cabeza.

Me levanto.

—¿Qué estás haciendo?

—Estoy. —Scarlett me mancha otra vez—. Enseñándote.

—Mayonesa—. Que las consecuencias. —Kétchup—. Se dejan para mañana.

Me limpio los condimentos pegajosos de la cara y miro hacia abajo. Mi sudadera es una mezcla entre un perrito caliente y un cuadro de Jackson Pollock.

—La vida —Scarlett sonríe— es el presente.

Me pasa algo en el pecho. Noto un golpe seco y un alivio repentino.

Me quedo mirándola fijamente.

—¿«Las consecuencias se dejan para mañana»? —repito despacio mientras me limpio las mejillas—. ¿«La vida es el presente»? No había escuchado una frase más ñoña en mi vida. Que le den a Instagram, ¿lo bordamos en un cojín?

Scarlett intenta decir algo.

—¿O hacemos un imán para la nevera? —Cojo la botella de kétchup y le tiro salsa a Scarlett—. ¿Un trapo de cocina? —Mostaza—. ¿Qué te parece una funda para móvil? —Mayonesa—. Quedaría superbién con una letra elegante y alguna mariposa rosa volando a su alrededor, y...

Empezamos a reírnos las dos.

—Cállate, Valentine. —Scarlett suelta una carcajada y me da un puñetazo en el hombro—. Ya me has dado para el pelo.

Le doy un puñetazo yo a ella.

—Con la mostaza.

Y, fuera lo que fuera lo que estaba apretándome por dentro, se desata por completo y empieza a desaparecer.

—¡Ey, Letty! —Un chico muy alto llega y le choca los cinco—. ¡Gracias por la fiesta! ¿Quedamos el mismo viernes el mes que viene?

—¡Por supuesto! —Y sonríe.

Dejo de reírme de golpe.

—Espera. —Todo el piso es un caos. Hay platos y vasos por el suelo, están tirando comida en las moquetas, las sillas están rotas, hay gente saltando en los sofás, las luces medio fundidas, los vecinos no paran de quejarse—. Scarlett, ¿este es tu piso?

Miro el suelo lleno de condimentos varios y empiezo a sentirme muy culpable.

—Ah. —Scarlett se encoje de hombros—. Sí. Es que, si voy a bordar un cojín con un lema vital, tendré que poder dar ejemplo, ¿no?

—O darle un guantazo —digo sin pensar.

—Touché, Faith Valentine. —Se ríe con fuerza y me agarra por el brazo—. Vamos a despendolarnos, anda.

27

—¿Dónde has estado?

Cuando vuelvo a subir por la ventana de mi habitación, son las cuatro de la mañana. Generalmente, a esta hora, estaría mirando al techo, teniendo otra pesadilla o preparándome para salir a correr al amanecer.

Pero, por extraño que parezca, no siento el impulso de hacer nada de eso ahora mismo.

—¿Eh? —Me tiro agotada encima de la cama—. ¿Qué?

Mercy está sentada con las piernas cruzadas en medio de mi alfombra, como un Aladdín muy indignado.

—Has salido. —Mira su reloj—. ¿Dónde has ido?

—Ah. —Me froto la cara con cansancio—. He ido a correr un poco.

Mer frunce el ceño.

—¿Por encima de un puesto de perritos calientes?

—Ajá. —La verdad es que me estoy quedando pegada al edredón—. Me he tropezado con una bolsa de basura en el parque.

Luego cierro los ojos. En cuestión de segundos, noto el aliento cálido de mi hermana en la cara mientras me olisquea como un gato sospechoso.

—Apestas —señala con cara de asco—. ¿Qué le ha pasado a tu espejo? ¿Ha entrado un pájaro y lo ha destrozado o algo así? ¿Estás...? —Mercy hace una pausa—. En plan... —Otra pausa—. ¿Bien y eso?

Abro un ojo con sorpresa. «¿Mercy Valentine acaba de preguntarme si estoy bien? Llevo años intentando enseñarle esa pregunta.»

—Sí. Perfectamente.

Es curioso que a mi hermana no se le pase por la cabeza que a lo mejor he roto el espejo a propósito. En su cabeza, no soy más que la víctima pasiva de una paloma errante.

El sueño se va apoderando de mí poco a poco, así que me quito la sudadera asquerosa y la tiro al otro lado de la habitación. Me siento un poco culpable —«Recógela, Faith. Dóblala bien. Esa no es forma de tratar tus pertenencias.»—, y me giro hacia la pared.

«Las consecuencias se dejan para mañana.»

«La vida es el presente.»

Aunque, bueno, ya es mañana, pero tampoco hace falta ser tan literal.

—¿Acabas de tirar la...? —Mi hermana hace un aspaviento—. Esto..., Eff. ¿Qué narices te has hecho en la cabeza?

Me hundo en los cojines.

—Me apetecía un cambio de *look*.

—Ya. —Risa nerviosa—. Claro. Un cambio de *look*. Es difícil no darse cuenta de que es bastante similar al corte de pelo de tu exnovio el pringado infiel. ¿Has hecho algo original en tu vida, Faith?

De pronto, ya no estoy tan cansada. Me siento en la cama y me quedo mirando a mi hermana. Antes que nada, Noah no es mi ex, ha pasado solo un día. No tengo ni idea de qué hacer con esta situación. Segundo, ¿de verdad cree que soy tan lamentable como para afeitarme la cabeza por un tío?

—¿Cómo dices?

—Estás imitándolo, ¿verdad? Para recuperarlo. —Me mira con el ceño fruncido—. Es un poco patético, Faith. No te ofendas.

Como si decir «no te ofendas» anulara todo lo que ha dicho antes, en lugar de destacarlo.

Algo se desata en mi interior.

—Lárgate, Mercy.

—Pero...

—Sal de mi habitación.

Mi hermana se me queda mirando mientras me sube otra oleada de rabia. Mi almohada llena de delineador, pelos sobre la moqueta, sudor apestoso en el edredón, ronquidos, pies fríos sobre mis piernas a las cuatro de la mañana, lloriqueo en sueños... Todos y cada uno de los aspectos de mi intimidad invadidos noche tras noche.

Es como tener a un perro callejero desagradecido viviendo conmigo. Y no me gustan los perros.

—Eff —dice Mercy, levantando las manos—. Igual me equivoco. No te lo tomes tan...

—¡QUE TE LARGUES! —grito dando un salto—. ¡VETE!

Con un impulso de energía, agarro a mi hermana por debajo de los brazos y empiezo a tirar de su cuerpo hacia la puerta. Es sorprendentemente fácil. ¿Quién iba a decir que el levantamiento de pesas y las posturas de yoga me iban a venir bien para otra cosa que no fuera Instagram?

—Oye, Faith. —Mercy está tan sorprendida que se ha puesto en modo muñeca de trapo y se está dejando arrastrar por el suelo—. Venga, tía. Estás loca. Solo quería decir que...

Tiro a mi hermana en el suelo del pasillo con tanta fuerza que aterriza de culo, emitiendo un ruido sordo.

—¡QUE TE VAYAS!

—Pero... —Parpadea. Parpadea—. ¿Dónde voy a dormir?

—¡TIENES TU PROPIA HABITACIÓN, MERCY! ¡COMO SI DUERMES EN EL PASILLO! ¡O BAJO EL CIELO ESTRE-LLADO! ¡O COLGANDO BOCABAJO DE LAS VIGAS, COMO UN MURCIÉLAGO! ¡ME DA EXACTAMENTE IGUAL! ¡CONCÉDEME ESPACIO!

Doy un portazo y cierro el pestillo.

Clic.

Luego me acurruco en mi cama vacía y silenciosa y me quedo profundamente dormida.

¡TEN UN POCO DE FE!

¡No estés tan triste, Faith! (Imagen de la izquierda, con un nuevo corte de pelo muy atrevido.) Ya empieza a haber cola para conseguir una cita con la soltera más codiciada de la ciudad. Dylan Harris —protagonista de La patrulla lobezna y un viejo amigo de la familia— nos ha contado EN EXCLUSIVA que siempre ha tenido una «conexión especial» con Faith y que puede que por fin «haya llegado su momento». Noah Anthony, el ex infiel, ha declarado que «no la dejará marchar sin pelear».

¿Quién ganará? ¡Entérate de todo antes que nadie aquí!

PIII.

Pi-pi-pi-pi-pi-pi...

—¡A LA DUCHA, VALENTINE! —grita Scarlett cuando asomo la cabeza por la ventana de mi habitación la mañana siguiente—. ¡Y LUEGO BAJA! ¡VAMOS A DAR UN PASEO!

Vuelve a tocar el claxon sin ningún motivo aparente.
PIIIIII.

Esta vez, el Mini naranja ha terminado aparcado, no sé cómo, en mitad del patio, con las ruedas traseras aplastando el césped. Miro el reloj: no son ni las diez de la mañana, lo que quiere decir que he dormido menos de seis horas. Para mí está bastante bien, la verdad.

—¿DÓNDE? —pregunto con un grito.

—¡QUÉ MÁS DA! —me responde.

Me doy cuenta de que, por primera vez en meses, no tengo nada que hacer ni nadie a quien ver hoy. Así que me meto en la ducha y me lavo los restos pegajosos de la fiesta.

Luego vuelvo a salir con cuidado por la escalera de incendios. Podría utilizar la interior, claro, pero no quiero encontrarme con Mercy. Igual me tira por ellas.

—Toma —dice Scarlett, dándome una barrita de cereales mientras yo entro en el coche y aparto otro montón de restos de aperitivos del asiento del pasajero—. Nutrición.

Me da un vaso de algo que es básicamente helado de fresa derretido con una pajita.

—Gracias —digo cogiéndolo sin importarme lo que sea.

—Espera. Echa el freno a tus caballos —me dice contenta—. O ponis. O unicornios. El animal que utilicéis los ricos como medio transporte.

Scarlett Bell pone la música a todo volumen y salimos del sendero haciendo rechinar los neumáticos al realizar un giro brusco a la izquierda. Nos adentramos en las afueras de Londres hasta que el gris se deshace y todo se vuelve verde y vívido. Siento cómo se me levanta el ánimo de nuevo.

Mientras cantamos y movemos la cabeza —de vez en cuando sorbo mi batido y la luz cálida del sol tuesta nuestras mejillas— empiezo a sentirme... un poco diferente.

Ligera, algo mareada, sin rumbo.

¿Sabes? digo mientras el paisaje se convierte en un decorado de una película de Merchant Ivory. Glup—. No te tenía por una chica de campo.

—Ah, es que no lo soy. —Scarlett niega con la cabeza—. Soy londonita hasta la muerte. Pero me gusta conducir entre árboles de vez en cuando. Me recuerda cuánto me gusta el hormigón. Ojalá los cortemos todos.

Me río —glup— y el pobre coche empieza a sufrir mientras subimos una colina.

Ping.

Primera mañana en un año sin un
mensaje de buenos días. Te echo de
menos. ☹ N.

Suelto el batido.

—¿Quién es? —Scarlett me mira mientras el Mini corre aliviado al bajar por el otro lado de la colina—. Parece que alguien te ha metido una aguja de punto por la nariz y la ha retorcido en la dirección de las manillas del reloj.

—Noah —respondo, mirando hacia abajo mientras el teléfono vuelve a sonar.

—Ah.

Tengo el corazón roto. No puedo vivir
sin ti. Por favor, háblame. :'(N.

Ya estamos con el emoji de la lágrima. Se me retuerce el estómago.

—Voy a tener que llamarlo —digo en voz baja, bajando el volumen de la música hasta que casi no se oye—. Lo siento.

Luego busco su número entre los contactos, consciente de cómo va a ir la conversación: «No se puede creer lo que ha hecho, está hecho polvo, fue un accidente, ¿podemos quedar para hablar?». A lo que yo responderé: «Yo también te echo de menos, te entiendo, todo el mundo comete errores, por supuesto, nos vemos en una hora».

Bingo. Volvemos a estar juntos, la relación funciona de nuevo. Y eso es bueno, ¿verdad? Entonces ¿por qué necesito las dos manos y una grúa para pulsar el botón de llamada?

—No tienes que hacer nada —dice Scarlett mientras yo cojo otra vez el batido para mordisquear ansiosa la pajita—. Lo sabes, ¿no?

—Claro —asiento, aún con la pajita entre los dientes—. Pero necesito...

—Necesitar es lo mismo que deber, Eff.

—Ya lo sé. —Sigo mirando el nombre de Noah en la pantalla del teléfono—. Es que... no puedo soportar que esté solo, triste y abandonado, pidiendo ayuda, y...

—¿No estar a su disposición?

—No, no es eso. —Doblo el extremo de la pajita—. Ser yo la causa de su infelicidad.

Scarlett resopla.

—Eres consciente de que él es el responsable de su propia miseria, ¿no? Porque, a no ser que hayas sido tú la que pegó con cinta adhesiva esa rubia a su boca mientras él estaba inconsciente, tampoco tienes que responsabilizarte de eso.

Vacilo un instante.

—No, pero...

—¿Cómo te sientes tú, Eff? —Estamos atravesando un bosque y la luz del sol parpadea en nuestras caras—. Ignora lo que quiere Noah, aunque sea un minuto, joder. ¿Qué quieres tú?

Cierro los ojos un instante, intentando imaginarme el futuro con un montón de emociones diferentes peleándose en mi interior.

Es un embrollo enorme y ruidoso.

—No lo sé —admito—. ¿Tiempo para averiguarlo?

—Pues pídelo.

¿Cómo? ¿Puedo... hacer eso... y ya? Muerdo la pajita durante unos minutos más, y luego contesto a Noah:

> Yo también te echo de menos, pero necesito un poco de tiempo y espacio para poner mi cabeza en orden, por favor. Gracias. F. Bss.

Un segundo después:

LLAMADA ENTRANTE: Noah

Me da un vuelco el estómago. Le cuelgo; vuelve a sonar otra vez enseguida...

LLAMADA ENTRANTE: Noah

Colgar. Otra vez.

LLAMADA ENTRANTE: Noah

Colgar. Y otra vez.

LLAMADA ENTRANTE: Noah

Respondo.

—¿Diga? —Tengo la garganta cerrada. Es evidente que vamos a tener esta conversación quiera yo o no—. Noah, escucha...

El coche se para en seco; mi teléfono desaparece.

—¿Qué...?

—Se lo has pedido una vez —dice Scarlett mientras apaga el móvil y se sienta encima—. No deberías tener que volver a hacerlo.

Vuelve a subir el volumen de la música al máximo.

—Ahora relájate, Valentine, y disfruta de ir a absolutamente ningún sitio.

29

¿Por qué va un árbol al dentista?

Para molar.

Scarlett vuelve a venir al día siguiente. Y al siguiente.

Todas las mañanas, entro en el Mini naranja y me ofrece comida basura, luego ponemos la música todo lo alta que podemos y huimos juntas: conducimos, comemos, cantamos, hablamos, reímos.

Cuando aparece por el sendero el cuarto día, se choca con un macetero escalonado y toca el claxon siete veces. No me puedo creer que me haya resultado intimidante en algún momento.

Por la primera vez desde que tengo memoria, siento que he conseguido escapar de mi vida, por fin. Y es maravilloso.

Pi. Pi. Piiiiiiiiiiiiiiipipipipipiiiiiipi...

—¡YA VOY! —grito alegremente, asomando la cabeza y saludándola con la mano—. ¡TRANQUILÍZATE!

—¡Ah! —Hay una voz emocionada a mis espaldas—. ¿Ahora nos escapamos por la ventana, Eff? ¡Qué cinematográfico! Yo no tengo escalera de incendios, pero creo que podría saltar desde mi ventana si me entreno un poco.

Me quedo quieta, aterrorizada, con un pie en el alféizar.

Hope está en la puerta —su carita con forma de corazón está iluminada de optimismo— y vuelvo a sentir mucho frío. No puedo ser responsable de que mi hermana pequeña intente lanzarse al vacío desde un tercer piso en un intento de ser como yo.

Lo de que las consecuencias son para mañana está muy bien, pero esta en concreto no puede esperar.

—¡No me estoy escapando! —Me río, volviendo a entrar rápidamente—. Es muy peligroso, Hope. Prométeme que nunca, nunca, nunca saltarás por tu ventana, ¿vale? Estaba solo... comprobando si está... lloviendo.

Las gotas golpean el cristal como si fueran balas. De verdad, soy la peor actriz del planeta.

—Pues sí. —Po asiente—. ¡Toda esa agua es lluvia!

Luego se tira en la cama y se queda mirando mi habitación con su cara de impresión habitual.

—¡Llevo días sin verte, Eff! —dice casi sin aliento—. Y tengo un montón de cosas que contarte. ¡Ben me está enseñando a jugar al Scrabble! Pero me deja que me invente palabras porque dice que es mi especialidad.

—Qué majo es Ben. —Me río.

—¿Quieres verlo? Sé que se muere por pasar un poco de tiempo contigo.

Por el amor de...

—Estoy un poco ocupada, Po. ¿Puedes entretenerlo mientras estoy fuera?

—Sí. —Asiente con ímpetu—. Soy muy entretenida. O eso es lo que dice Ben, al menos. Ah, otra cosa, Eff. Porfa, porfa, ¿puedo tocarte la cabeza? ¡Está en todas las revistas y soy tu hermana y no la he tocado todavía! ¿Porfiiiiii?

Me quito el gorro sonriéndole.

Hace un par de días, los *paparazzi* consiguieron hacerme una foto con mi nuevo peinado y ahora no paran de hablar de ello en toda la prensa. No se deciden sobre si tengo el corazón roto o si he sufrido una crisis nerviosa o si estoy haciendo una declaración feminista, o si quiero llamar la atención, o si simplemente estoy probando un atrevido *look* militar.

Sea como sea, todo el mundo tiene una opinión. Además, la gente ha empezado a tocarme la cabeza porque sí, sin preguntarme siquiera.

—¡Hala! —chilla Po, pasando las manos por mi cráneo como si fuera una bola mágica—. ¡Cómo mola! Las revistas dicen que estás incluso más guapa sin pelo, y estoy de acuerdo. ¡Estás creando tendencia!

—Gracias, cariño. —Le doy un beso en la mejilla—. Además, ahora corro como un quince por ciento más rápido, porque hay menos resistencia al aire.

Mi hermana abre mucho los ojos.

—¿En serio? —Se agarra la coleta y saca un par de tijeras de mi escritorio—. Pues entonces voy...

—No. —Le quito las tijeras y me vuelvo a poner el gorro—. Hope, no te hagas nada en el pelo, lo tienes precioso.

—Vale. —Suspira dramáticamente mientras yo cojo mi bolso y voy hacia la puerta—. Se la vi.

—¿Perdona?

—Se la vi. —Mi hermana pone los ojos en blanco—. Es lo que dice la gente cuando se resigna con algo con lo que no están satisfechos —explica con paciencia.

Se me escapa una risa.

—Quieres decir *c'est la vie*. Es «¡Así es la vida!» en francés. Cuidado con «se la vi», puede llevar a malentendidos. Diviértete entreteniendo a Ben, ¿vale?

Le lanzo un beso y bajo las escaleras de forma que mi hermana pueda copiarme fácilmente sin lesionarse.

Suena el teléfono.

Ey. ¿Qué tengo que hacer? Dímelo. 🙂
🙂 N. Bss.

Le respondo con el estómago encogido:

Necesito un poco más de tiempo.
Lo siento. F. Bss.

Yo también lo estoy pasando mal, por supuesto, pero todavía no sé cómo me siento ni qué quiero decirle. El teléfono vibra otra vez.

Por favor, no salgas con Dylan Harris. 🙂

Pues, ¿sabes qué? Igual sí.

Por favor, no beses a otras chicas.
¡Uy! Tarde.

Vuelvo a guardar con rabia el teléfono en el bolso.

«La vida es el presente.»

—¡Qué pasa, Letty! —grito al tiempo que abro la puerta—. ¿Dónde vamos hoy? Había pensado que podíamos coger la autopista e ir al norte y...

Se me forma un nudo en el estómago. Hay otro coche entrando por el sendero. Plateado. Grande.

¿Qué día es? Dime que no es miércoles. Es miércoles, ¿a que sí?

«No, no, no, no, no...»

«No, no, no, no, no...»

—¡Rápido! —Cierro de un portazo la puerta de casa y corro bajo la lluvia hasta entrar de un salto en el coche de Scarlett—. ¡Vamos! ¡Venga! ¡Arranca, arranca!

—¡Joder! —Ella sonríe mientras pone una mano en el freno de mano—. Parece que soy la conductora de una huida. ¿Vamos a repartirnos lo que acabas de robar?

«¿Por qué tarda tanto?»

—¡ARRANCA! —grito cuando empieza a pelearse con el contacto («Esta tartana nunca se pone en marcha a la primera, espera, tiene truco, solo tengo que...»)—. ¡SCARLETT, QUE ARRANQUES YA! ¡VENGA, VENGA, VENGA!

Es demasiado tarde. Genevieve ha salido de la limusina y se ha colocado detrás del Mini, así que no nos podemos ir a ningún sitio. La lluvia cae con fuerza y ella está empapada, inmóvil y sin parpadear: como salida de una película de miedo.

—¡ATROPÉLLALA! —grito—. No. Mejor no. Pero...

—¿Faith? —Me llama Genevieve—. Tienes que venir conmigo.

171

30

¿Qué número es un piojo sin ojos?

π

Ni un chiste puede salvarme ahora.

—Hola, Genevieve —digo con cautela conforme la limusina se va alejando conmigo dentro, una vez más—. Y bien... ¿qué tal estás? —Como si no acabara de gritar «ATROPÉLLALA» todo lo alto que podía.

—Bien, gracias. —La asistente de mi abuela lleva el uniforme de señora mayor: falda de tubo, blusa con volantes, un chal con reborde dorado por encima de los hombros. Todo parece nuevo. ¿Dónde compra estas cosas?

—Me alegro. —Miro por encima del hombro—. Guay.

Scarlett viene detrás de nosotras, engullendo una bolsa de galletas. Saluda con énfasis —manejando el volante con las rodillas, por lo visto— y me hace una seña con la mano para que la llame.

Yo asiento, sonrío y me giro. Y hasta aquí ha llegado mi libertad. Por lo visto, mis maravillosas vacaciones de la realidad ya se han acabado.

—Bueno... —Trago saliva—. ¿Dónde está la abuela? ¿Está... bien?

—Tu abuela no va a poder darte clase hoy, Faith. La han llamado para planear los eventos benéficos del año que viene.

¡Qué alivio! Me relajo en el asiento, pero luego me vuelvo a sentar recta. «Ay.»

—¿Pero qué...? —Saco un collar dorado con un colgante puntiagudo del respaldo del asiento y me quedo mirándolo como una boba.

—Regalos —dice Genevieve—. Los ha enviado tu agente. Ha recibido muchísimas ofertas románticas en estos últimos días. Evidentemente, ya he descartado a los que no tienen nada que hacer.

Miro la bolsa de la que se ha caído el collar. Dentro hay un osito de peluche que da un poco de mal rollo, un reloj de platino, una caja de *macarons* de colores pastel, una pulsera de amatistas, un tarro de perfume muy caro (le han dejado el precio puesto) y un montón de bombones, flores, etcétera.

—¿Los que no tienen nada que hacer? —repito con un hilo de voz.

—Candidatos inadecuados. Chicos poco atractivos sin ningún tipo de perfil. Los que envían galletas con gluten a pesar del riesgo de que te infles, ¿sabes lo que te digo? La dama Sylvia ha confeccionado una lista de los que sí serían apropiados.

Abre el libro de recortes por una página nueva. A la derecha hay fotos —chicos guapos y resplandecientes—, y a la izquierda, su edad, historia, carrera profesional, el interés que han mostrado.

Me quedo mirando las fotos, horrorizada.

Un chico le dijo al *Sun* que estoy «devastadoramente buena»; otro ha anunciado públicamente que «está deseando tener una oportunidad». Me da tanto asco que no puedo seguir leyendo.

—Pero... —Miro a Genevieve, confusa—. Noah sigue siendo mi novio. Pase lo que pase, no estoy lista para...

—El mundo no puede verte como un trofeo fácil, Faith. Si no demuestras que has pasado página, tu reputación será: «Faith Valentine: afectiva, rechazada y débil».

Me quedo con la boca abierta.

—Pero es que no he pasado pá...

—Lo que me recuerda que no has publicado nada en tus redes sociales desde hace casi CINCO DÍAS. —Saca su teléfono—. No puedes desaparecer. El silencio dice más que las palabras, y la gente lee entre líneas. Sobre todo si no hay nada que leer. Menos mal que me tienes a mí.

Genevieve pulsa ENVIAR e inmediatamente suena mi teléfono.

Una foto mía photoshopeada aparece en la pantalla: al amanecer, sentada en una tumbona en el jardín con un peto de encaje blanco y un brazo detrás de la cabeza. Recuerdo esa sesión: Max dijo que parecía una victoriana inválida después de un almuerzo copioso de domingo.

Vuelvo a mirarla.

—Pero...

—Creo que tendrías que poner: «Si no eres capaz de soportarme en mis peores momentos, no te mereces los mejores». Es positivo pero descarado. Empoderado. Respetuoso con el dolor que estás sufriendo.

Arrugo la nariz. Si Scarlett pensó que la frase del Dalai Lama era el último paso antes de una crisis psicológica pública, recitar a Marilyn Monroe deberá ser el último estertor de muerte.

—Pero...

—No hay negociación posible, Faith. —Genevieve entrecierra los ojos . Tu abuela ha dejado muy claro lo que quiere. Mi trabajo es asegurarme de que se cumple.

—Sí —digo cabizbaja—. Vale.

Sin más dilación, publico la foto y la frase en todas las redes sociales. Segundos más tarde...

¡Eres una INSPIRACIÓN!

¡La cabeza bien alta! ¡¡¡¡¡¡Te mereces
algo mucho mejor!!!!!!

OMG, ¿de dónde es esa silla? Me
encanta.

Siempre hay alguien que se fija en el delicado mobiliario.

—Te he impreso una copia de la lista de chicos —continúa Genevieve con una hoja de papel en la mano—. Échale un ojo cuando tengas un rato.

Pausa corta.

—Siempre que ese rato sea mañana por la mañana —añade, volviendo a teclear en su teléfono—. Tenemos que mantener este impulso o la prensa empezará a sacar sus propias versiones.

Me quedo mirando la lista con muchas náuseas. Ed, Elijah, Timothy, Jim, Toby, Jeremy, Dylan, Robert... Es como si estuviera en un buffet libre, pero en vez de comida, tengo que elegir entre un montón de novios apelotonados en una bandeja.

Y no he escogido a ninguno.

La limusina se para.

—Eh... —Por la ventana tintada veo una plaza muy bonita de Londres: árboles elegantes y casas adosadas con escalones de piedra en la entrada—. No quiero parecer maleducada ni nada de eso —«¡ATROPÉLLALA!»—, pero si hoy no tengo clase con la abuela..., ¿qué estoy haciendo aquí?

Había dado por hecho que la finalidad de ese trayecto era echarme un rapapolvo, pero parece que hemos venido a algún sitio concreto. Espero que no sea la casa de alguno de estos tíos aleatorios.

—Como bien sabes —Genevieve se alisa la falda—, tu abuela tiene muchos contactos en la industria cinematográfica. Muy buenas amistades gestadas a lo largo de los años, que han resultado ser de la más alta discreción.

Ah. «Aaaaaah.» Ahora empiezo a entenderlo todo. Creo.

—Nos han comentado que es posible que necesites... ayuda extra. Un empujoncito que, ahora mismo, ella no tiene tiempo de darte.

Cierro los ojos un momento. Para ser sincera, tuve suerte de que no me sacaran por los pelos de la última audición.

—Sabe que soy mala actriz, ¿no?

Genevieve sonríe y, por primera vez desde que la conozco, aparenta su edad.

—Ay, Faith —suspira con socarronería—. Sabe que eres una actriz pésima.

31

Ya sé dónde estamos.

Durante una milésima de segundo, me planteo resistirme. Saltar del coche y salir corriendo por el Soho. Pero ¿para qué? Es verdad que, si hay alguien que necesita ayuda profesional, esa soy yo.

—El taller de interpretación de cuatro días empezó ayer —me explica Genevieve mientras el chófer abre la puerta de la limusina—, pero tu abuela opina que no pasa nada si te incorporas un poco más tarde. Evidentemente, todo el mundo sabe ya quién eres.

—Genial, gracias —digo vacilante.

Me despido educadamente, bajo del coche y entro a otra recepción más. Está en silencio, pero a través de las puertas se escuchan chillidos, gritos, risas, llantos. En cualquier otro sitio, eso habría sido un poco preocupante.

—Hola, Faith —me saluda la recepcionista antes de que me dé tiempo a decir nada—. Siete B. Tercera planta, segunda puerta a la derecha. Entra en silencio, por favor. La clase ya ha comenzado.

Conforme voy subiendo la escalera, me empieza a picar todo el cuerpo. Cuando llego a la clase, tengo la garganta cerrada, la frente empapada, me tiemblan las piernas y me arden los ojos.

¿Se puede ser alérgica al arte? A lo mejor es como una especie de sensibilidad al polen extrema: me repele tanto cualquier cosa creativa que solo con estar en este edificio, mi cuerpo empieza a desmoronarse.

Abro la puerta con cuidado. Hay ocho personas tendidas en el suelo, más o menos de mi edad: tumbados bocarriba, con los ojos cerrados y los brazos a los lados. Parece el final de una tragedia de Shakespeare, hasta que me doy cuenta de que están todos murmurando en voz baja.

«Mmmmmmmmmmmmmmmm.»

—¡Adelante! —me invita el profesor con un susurro-grito. Es casi plateado por completo: pelo y barba canosos, jersey gris, vaqueros gris oscuro, como si fuera un mago de la interpretación—. ¡Túmbate! ¡Pero no hables!

Echo un vistazo a la habitación. ¿Dónde?

Me quito las deportivas y paso de puntillas entre los cuerpos esparcidos por el suelo.

—Lo siento —susurro—. Perdón. Perdona, necesito poner el pie... Ay, disculpa, ¿te he pisado?

El profesor frunce el ceño, así que me tumbo rápidamente en una esquina poniendo forma de L, cierro los ojos y empiezo a «mmmmmmmmmmmm».

—Oooooooooooooooooo —anuncia el profesor.

—Oooooooooooooooooo —repite la clase.

—Eeeeeeeeeeeeeeeeeeeee.

—Eeeeeeeeeeeeeeeeeeeee.

—Aaaaaaaaaaaaaaaaaa.

—Aaaaaaaaaaaaaaaaaa.

—Fluid. Dejad que el sonido cambie conforme va pasando por las diferentes partes de vuestro cuerpo. Cada sonido produce una nueva vibración: explorad cómo os sentís.

—Mmmmmmmmmmmm, ooooooooooooooooooooo, eeeeeeeeeeeeeee...

Abro los ojos y decido esperar sentada hasta que termine este sinsentido y empiece la clase de verdad. Ya hago yoga, eso es todo lo jipi que puedo soportar.

—¡Muy bien! —Suena una palmada muy fuerte—. ¡Arriba! ¡Caminad por la clase! ¡Mantened el contacto visual! Estáis andando por una calle. ¡Un día soleado!

Me pongo de pie de un salto y empiezo a caminar en semicírculos sin rumbo. Mis compañeros me clavan los ojos uno a uno y pestañean perplejos —«¿Qué narices hace aquí Faith Valentine?»—, así que me pongo muy roja y me quedo mirando al suelo.

—¡Ha empezado a llover! ¡Un rayo! ¡Relámpagos!

Mis compañeros empiezan a correr enseguida, sujetándose abrigos imaginarios sobre la cabeza, mirando al cielo, estremeciéndose con los estruendos de mentira. Yo los imito, aunque lo único que escucho es el generador de fuera.

—¡Vais a un sitio al que no os apetece ir! ¡Estáis haciendo tiempo! ¡Queréis llegar tarde!

Todo el mundo camina despacio, así que yo también.

—¡Hace un calor horrible!

Empiezan a quitarse los jerséis, a abanicarse con las manos, a secarse la frente. Yo también.

—¡Tenéis los ojos de mármol negro!

Bizquean, alargan las manos, se tropiezan.

—¡En círculo!

Me pongo rápidamente las manos sobre la cabeza, me agacho e intento hacerme lo más circular posible. Alguien suelta una carcajada, así que levanto la cabeza... Todo el mundo está de pie en un círculo cerrado alrededor del profesor, mirándome.

«Por el amor de...»

Me levanto humillada y me uno a ellos.

—¡Vale! —dice el profesor muy entusiasmado—. ¡Coged una silla! Cuando diga YA quiero que le digáis a vuestra silla que queréis una taza de café. Y... ¡YA!

Está claro que me he perdido algo.

—Quiero una taza de café —le dice a su silla una chica rubia con una etiqueta que pone IVY.

—Quiero una taza de café —pide ZACH.

—¡Quiero una taza de café! —Una chica alta y morena, ZOE, está enfadadísima—. Dame una taza de café.

Miro pestañeando a mi profesor.

—¿Hay algún problema? —Se acerca a mí sonriendo amablemente—. ¿Preferirías pedirle a la silla un té?

—No, no. Café está... bien. Es que... —¿Cómo lo digo de forma educada?—. Creo, señor, que... me he equivocado de clase.

Me extraña mucho que la dama Sylvia Valentine —o mi madre, lo mismo da— le haya pedido alguna vez una bebida caliente a una silla. Esto es como una formación de Starbucks.

—«Interpretación para cine y televisión». —El profesor asiente—. ¿Qué es lo que te molesta, exactamente?

Miro alrededor de la clase.

—¡QUIERO UNA TAZA DE CAFÉ!

—Quiero una taza de... ¿café?

—¿DÓNDE ESTÁ MI TAZA DE CAFÉ ARDIENDO? —A Zoe se le ha ido la pinza—. ¿DÓNDE ESTÁ? ¿DÓNDE? ¡DÁMELA!

—Eh... —Trago saliva—. Es que me parece un poco... tonto.

El profesor se ríe.

—¡Claro que lo es! —afirma—. Y precisamente por eso lo hacemos.

32

«Quiero una taza de café.»

Durante la siguiente hora, rujo, grito, susurro y me declaro no culpable. Pero no parezco una persona de verdad. Soy demasiado plana, hablo demasiado alto, o soy demasiado chillona, respiro demasiado, mi voz es demasiado grave, o demasiado aguda. La frase acelera, se ralentiza, aumenta, se eleva, se rompe. Las seis palabras siguen dando vueltas y serpenteando hasta que dejan de tener sentido.

Cuando llega la hora de comer, estoy tan frustrada que quiero arrancar las patas de la silla. Es mi voz, ¿por qué no la puedo controlar?

—¡Vale! —El profesor (se llama señor Hamilton) da una palmada—. ¡Bien! Tomaos un descanso. —Sonríe—. Hay una máquina de refrescos al final del pasillo.

Levanto la mirada con los ojos llorosos. Se me había olvidado que había más gente en la clase. Ahora empiezo a entender por qué mamá siempre estaba tan ausente durante los rodajes.

Me doy la vuelta nerviosa para mirar a mis compañeros. Los ocho se van hacia los sofás y se sientan. Empiezan a susurrar, a comer patatas y a mirarme disimuladamente. Para

ser proyectos de actores, muchos de ellos son sorprendentemente malos.

Saco el móvil justo cuando me llega una alerta de Google.

«¡Faith Valentine es la chica de mis sueños!»,
dice Dylan H…

—Hola, chica nueva. —Ivy me hace gestos con la mano y
luego manda callar al resto del grupo—. ¿Te sientas con nosotros? —Le da con el codo a un chico con pantalones naran-
jas—. Muévete, Dieidiota.

—Me llamo Diego —murmura, señalándose el pecho—.
Lo pone en la etiqueta que llevo aquí —Pero se termina apar-
tando para hacerme un hueco.

Vuelvo a guardarme el teléfono en el bolsillo, avergonzada, sonrío y me siento en el borde del sofá, como si fuera un
maniquí de Harrods.

Silencio.

A ver, es evidente que se haga el silencio: estaban hablando de mí. De todas formas, mi falta de soltura los habría callado igualmente.

—Eh… —empieza Mia, con voz dulce—. ¿Cómo…?

—Bueeeeeeno. —Theo, con gafas y camisa vaquera, se
inclina hacia mí—. Eres quién tú ya sabes, ¿verdad? Zach
piensa que no puedes ser tú, pero Jem ha dicho que por supuesto que sí, y yo estoy un poco indeciso.

—No está lo bastante buena —explica Zach—. Quiero
decir… —Se gira hacia mí—. No pretendo ser grosero, es evidente que estás cañón, pero tienes las tetas pequeñas.

Yo sonrío: «No pretendo grosero…», sí, ya.

—¡Tú flipas, tío! No te podrías enrollar con ella ni en un

millón de años, independientemente de quién sea. —Jemima, la del pelo rizado, sacude la cabeza—. Y es ella. No cabe duda. Mira.

Se quedan un instante en silencio mientras les enseña su teléfono. Todos miran la pantalla.

Y luego a mí.

Y luego otra vez la pantalla.

Y luego a mí.

—Estooooooooo. —Zoe se arrima a mí para poder examinar mi cara desde más cerca—. En serio, ¿qué narices estás haciendo en esta clase? Es como ver a Angelina Jolie en el papel de perro en la obra de teatro de un colegio.

—¿QUIÉN? —Rafe, el de la chaqueta marrón de ante vintage, estalla de pronto—. ¿QUIÉN ES? ¡NO LA RECONOZCO!

—¿No reconoces a Faith Valentine?

—¿A QUIÉN?

—Faith Valentine. Rafe, tronco, si quieres ser actor, vas a tener que dejar el *New Yorker* de vez en cuando y coger una revista del corazón. Es muy raro que no sepas quién es. No vives en el fondo del mar.

Todos vuelven a girarse para contemplarme con los ojos como platos. Me arde la cara.

—Ah. —Trago saliva y me quito el gorro—. Me podéis llamar Effie.

—¡Lo sabía! —Jemima da un salto y un puñetazo al aire—. ¡Sí! ¡Zas, en toda la boca, Zachary! La has cagado. Se acaba de quedar soltera y has perdido tu oportunidad.

—Maldita sea. —Zach se rasca la cabeza y me mira el pecho con el ceño fruncido.

—Lo siento. Photoshop y sujetadores con relleno y tal. Es muy confuso.

—¡Cómo mola! —dice Zoe sin dejar de escudriñarme la

cara—. Llevo años siguiendo a los Valentine. ¿Qué tal está Mercy? ¿Y tu madre? ¿Y Max? —Se gira hacia el grupo con un suspiro—. Su hermano es un auténtico dios. Es como ella, pero más alto y más mayor y en chico.

—Y un idiota —añado sin pensar.

Todos se ríen.

—¿Te estás documentando para algún papel? —Mia entrecierra los ojos—. ¿Estás rodando una película sobre una clase de interpretación...? —Mira a su alrededor y baja la voz—. ¿Nos están grabando?

Zach se vuelve a colocar el pelo.

Hay un silencio largo e incómodo mientras todos me miran fijamente, esperando mis palabras de sabiduría y experiencia.

Sonrisa: listo; hoyuelo: listo.

—Bueno —digo, abriendo las manos como gesto de modestia—. Supongo que estoy aquí por el mismo motivo que vosotros. Cuando te gusta de verdad la interpretación, no hay límites a la hora de aprender. Un actor no debería dejar de explorar en ningún momento. De jugar. De investigar. Al fin y al cabo, ¿no somos unos estudiantes eternos de esta maravillosa asignatura llamada vida?

Quiero vomitarme encima de mi jersey de Moschino. La abuela estaría muy orgullosa.

—Sí, claro. —Zoe asiente, claramente decepcionada—. Por supuesto. Lo entiendo perfectamente. Guay. Qué profundo y tal.

Otro silencio.

—A ver, yo estoy aquí porque quiero encontrar un agente y conseguir un papel en una película importante y enrollarme con tías buenas el resto de mi vida —dice Zach—. Hasta que sea viejo y tenga el pelo gris y todavía consiga enrollarme con ellas por motivos que solo sabrá mi psicólogo.

—Yo vine porque me dieron un cupón descuento —dice Jemima.

—Y yo porque necesito un vídeo de audición en condiciones para la Escuela de Arte Dramático —añade Diego—. De momento, lo único que he hecho ha sido sentarme en la cafetería de *Corrie!*

—¡Yo también! —Ivy se ríe—. Hacía de estudiante en *Hollyoaks.*

—Yo salí en *Eastenders.* —Theo se encoge de hombros—. En un puesto de camisetas.

—Mis padres pensaron que me serviría para sentirme más cómoda entre desconocidos —admite en voz baja Mia.

—Yo soy un actor con mucho talento. —Rafe se cruza de brazos y nos mira con prepotencia—. Estoy esperando a que alguien importante se dé cuenta.

Todo el mundo se ríe, pero creo que no lo decía de broma.

—¡Qué bien! —Sonrío y, por algún motivo que desconozco, doy unos cuantos aplausos—. Bueno, estoy segura de que todos los conseguiréis. ¡Buena suerte!

Todos me odian, ¿verdad? Sí, yo también me odio.

—¡Muy bien! —El señor Hamilton entra en la clase—. Para el siguiente ejercicio, quiero que hagáis parejas y os repitáis la palabra «conejo». Ya está. Solo la palabra «conejo». Buscad la forma de crear un diálogo.

En cuestión de segundos, todo el mundo tiene compañero.

Qué sorpresa, nadie me ha elegido a mí. ¿Por qué no van a querer trabajar con la chica rica prepotente que acaba de aplaudirles con condescendencia? Me quedo mirando al suelo.

—Conejo —me dice el señor Hamilton—. ¿Conejo?

—Conejo —asiento, sin tener ni idea de cómo decirlo.

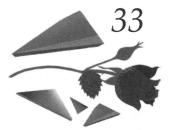

33

¿Qué tipo de flor te crece en la boca?

El diente de león.

Alguien ha estado investigando.

Cuando abro la puerta de la mansión Valentine, unas horas más tarde, veo rosas amarillas —en jarrones enormes que abarrotan el vestíbulo, en ramos sobre los muebles, esparcidas por las escaleras hasta la puerta de mi habitación—. No me puedo mover por su culpa.

Una lástima que mi favorita sea la trompeta de ángel: una flor preciosa y lánguida con forma de campana, tan venenosa que puede asfixiar, paralizar e incluso matar.

Pero, por lo visto, no podía decir eso en *Vanity Fair*.

—¿Qué...?

—Cada hora —dice Mercy, saliendo de la cocina con un mono negro y los labios a juego. Parece que ha comido carbón con mucho cuidado—. Han traído una docena cada sesenta minutos, a la hora en punto, durante todo el día. Es una rosa cada diez minutos, por si no se te dan bien las matemáticas.

—Cinco —digo en voz baja—. Cada cinco minutos, Mercy. Por si no se te da bien leer el reloj.

—Pues vale. Mamá ha bajado como una zombi y ha pensado que eran para ella. Las iba a tirar todas en la basura. Menos mal que estaba yo aquí o no te habría llegado nada de esta mierda.

—Enhorabuena por ser una auténtica heroína.

Nos quedamos las dos de pie en silencio unos minutos. Parece que la pelea de ayer está en pausa. Nos ha unido el hecho de que toda la casa huele a ambientador de váter.

—Rosas amarillas —se burla mi hermana—. Qué exnovio más original tienes, Eff. Noah no te conoce nada en absoluto.

—Novio —la corrijo, cogiendo una flor y mirándola detenidamente. Es bastante bonita, la verdad. Si te mola matar cosas que te gustan y ver cómo se marchitan lentamente en un entorno ajeno—. No lo hemos dejado. Simplemente me voy a dar un poco de espacio para aclararme.

Pero el corazón me late sospechosamente rápido.

«¿Son de Noah?»

Joder, pues sí que tiene que estar hecho polvo para tener un detalle como este. ¿Debería llamarlo? Sí, debería. No quiero que... Necesito más tiempo, pero, si no lo hago, ¿no sería... cruel? ¿Maleducada? ¿Desagradecida?

¿Qué pasa si no lo hago y...?

Un momento.

> No soy vidente, pero puedo ver mi
> futuro contigo. ¿Cenamos?
> Dylan Harris
> (estrella de la televisión, actualmente
> en Netflix)

187

Confusa, cojo otra etiqueta.

> ¿El ambiente está caldeado o solo
> somos nosotros? Llámame.
> Dylan Harris
> (estrella de la televisión, actualmente
> en Netflix)

Y otra.

> Mis padres me enseñaron a
> perseguir mis sueños, y tú eres uno
> de ellos.
> Dylan Harris
> (estrella de la televisión, actualmente
> en Netflix)

En la parte de atrás de cada etiqueta:

> Estas flores son de Romance en
> Ciernes
> Tu tienda de referencia cuando
> necesites amor o una disculpa

Me río tan fuerte que Mercy da un brinco.

—¿Qué...?

—No son de Noah. —Aliviada, voy a sentarme en las escaleras para poder reírme más fuerte—. Es de un tío de la lista de chicos de Genevieve. Mira.

Mi hermana lee las tarjetas.

—Qué fuerte. —Y se empieza a reír ella también (emitiendo ruidos de cerdita con nariz) mientras se sienta a mi lado—. ¿Quién narices se cree este casanova de supermercado que es?

—«Dylan Harris», Mercy. —Pongo los ojos en blanco—. «Estrella de televisión, actualmente en Netflix», presta un poquito de atención. Menuda pregunta más tonta.

Nos empezamos a reír juntas.

—Aunque, por lo visto, es un viejo amigo de la familia. —Frunzo el ceño y cojo otra tarjeta—. O eso es lo que decían los documentos.

Rosas para mi rosa inglesa.
¡Salgamos un montonazo!
Dylan Harris
(estrella de la televisión, actualmente
en Netflix)

—No lo bastante amigo como para saber que solo somos medio inglesas. —Mer suelta una carcajada y se seca los ojos—. Aunque sí que me suena un poco su nombre.

—A mí también —reconozco—. Y su cara. Pero yo soy más de Amazon Prime.

Esta vez la risa va decayendo hasta que nos quedamos en

silencio y, ¡pum!: resurge la pelea, que estaba esperando a que la retomásemos.

—Eff, tu espejo...

—No es nada. —Me levanto rápido—. Le di una patada sin querer en un calentamiento. Ya sabes cómo soy. Ejercicio, ejercicio, ejercicio. Tonificar, tonificar, tonificar.

—Ya. —Mer frunce el ceño—. Estás como una cabra.

Hoy no me apetece discutir: no tengo energía. No quiero que Mercy sepa que destrocé el espejo a propósito. Además, desde que pasó, no he vuelto a hacer ejercicio, y me preocupa que las dos cosas puedan estar relacionadas de alguna forma.

—¿Dónde se ha metido todo el mundo? —digo de pronto, mirando a mi alrededor. La casa está muy tranquila.

—Mamá está hibernando. —Mer se encoge de hombros—. Ben se ha llevado a Hope a patinar sobre hielo o algo así. Y Max ha vuelto a desaparecer. Cien pavos a que tiene un ligue secreto.

—Puaj. —Siento compasión—. Pobrecita.

—Ya te digo, patinar sobre hielo es lo peor.

Mercy me sonríe y yo le doy una patadita suave. Luego saco el teléfono.

MAX, ¡¿¿¿QUIÉN ES LA AFORTUNADA???!

¡MER Y YO TE HEMOS CALADO!

¡¡¡HABLA!!!

Ping.

¿QUIÉN ES QUÉ? y POR CIERTO ¿qué
has hecho ahora, lianta? Max. Bss.

Miro el teléfono extrañada, y luego a la cocina.

190

¡MIRA TWITTER! Bss.

Hago clic en la app con el estómago revuelto.
1604 notificaciones.
Voy bajando rápidamente, alucinando.

> *@Scarlettbell AY, NO, ¡NO ME LO PUEDO CREER!*
> *@Scarlettbell ¿Cómo puedes ser tan insensible? ¿Acaso sabes por lo que está pasando la pobre Faith ahora mismo? ¡Ten un poco de decencia!*
> *@Scarlettbell ¡Ja, ja! Cuánta razón tienes. ¡A por ella! #Básica*
> *@Scarlettbell ¡AHÍ TE HA DADO!*

¿Scarlett? Bajo aún más rápido.

> *Si no eres capaz de soportar a @FaithValentine en sus peores momentos, desde luego que no te la mereces cuando SE DEDICA A ROBAR LA PERSONALIDAD DE #MarilynMonroe. #idiota #mea-burro*

—¿Qué pasa? —pregunta Mercy curiosa, inclinándose para mirar mi teléfono—. ¿Max lo niega? ¿Por qué tienes cara de susto?
—Eh... —Pestañeo atontada. La foto del perfil de la cuenta es Scarlett con un pijama de oso panda, y está verificada: no cabe duda de que es ella.
Me escuecen mucho los ojos.
—¿Eff?
—Creo que voy a ir a... —¿Correr? ¿Mi habitación? ¿Correr? ¿Mi habitación? ¿Correr? Mi habitación—. Voy a ir a

191

echarme un poco. Es... el polen de las rosas. Alergia. Creo que soy alérgica al polen.

—Faith, las rosas no tienen...

—Cállate, Mercy.

Me arrastro escaleras arriba hasta que estoy segura en la oscuridad del rellano. Luego me quedo muy quieta y me aprieto el puente de la nariz.

«Robando la personalidad. Tonta. Me aburro.»

El tiempo que pasé con Scarlett —todas las cosas que le conté—, ¿las estaba recolectando para utilizarlas en mi contra? Confié en ella. Me abrí. Me caía bien y me permití ser vulnerable; qué estúpida soy. Estúpida, estúpida, estúpida.

«Las consecuencias se dejan para mañana.» Y aquí están, por todas las redes sociales.

Abro la puerta de mi habitación con los ojos llorosos.

—¡Saludos cordiales! —Scarlett me sonríe desde mi cama. Tiene el pelo de punta y el delineador corrido—. Las escaleras de incendios también sirven para subir, ¿sabes? Igual deberías plantearte cerrar la ventana por si Dylan Harris sube a verte dormir e intenta hacerte inmortal y esas cosas.

Me seco los ojos.

—¿Qué?

—¡Ah! —Sacude su teléfono en el aire y se ríe muy fuerte—. Me aburría de esperarte. Venga, Valentine. A ver de qué eres capaz.

34

No pretendo ser grosera, pero...

Precisamente por esto a los Valentine no se nos anima a relacionarnos con gente que no comparta nuestros genes. Ya tenemos bastantes comportamientos desequilibrados en la familia, no hay necesidad de añadir más.

—Ey, qué tal. —Me siento en el borde de la cama, al lado de Scarlett—. No sé si lo he entendido bien, pero...

—Mueve ficha —dice contenta, tecleando en su teléfono con los pulgares—. O te lanzaré otra mientras te dedicas a parecer un lince. Ups. Demasiado tarde.

Miro mi teléfono.

@FaithValentine Las mentes geniales hablan de ideas; las mentes normales hablan de eventos; las mentes pequeñas PUBLICAN FOTOS DE LO QUE HAN DESAYUNADO #Básica #EleanorRoosevelt

Scarlett suelta una risilla traviesa cuando aparece la notificación.

—Te toca.

Por el amor de... Genevieve se va a enfadar mucho conmigo. Adora las fotos de los batidos saludables.

—Oye —digo desesperada porque veo que Scarlett está tecleando otra vez con mucho entusiasmo. «Arregla esto. Arréglalo ya.»—. Tienes que parar, Letty, por favor. Igual para ti es divertido, pero se ha invertido muchísimo tiempo y dinero en que mi presencia online sea...

Ping.

> @FaithValentine La vida es lo que pasa mientras LE PONES EL FILTRO VALENCIA A TUS FOTOS #vanidosa #JohnLennon

Me quedo mirándola fijamente.

—No soy vanidosa.

—Ya lo sé, pero tus seis millones de seguidores, no. Pero bueno, da igual lo que piensen de ti los desconocidos. Dale.

«No me tientes.»

—Pero...

Ping.

> @FaithValentine Si quieres tener una vida feliz, átala a TUS REDES SOCIALES, no a personas ni cosas. #superficial #AlbertEinstein

—Vale —suelto—. Como quieras.

Empiezo a teclear en mi teléfono.

> *Creo que a lo mejor @Scarlettbell debería...*

—¿A lo mejor? —Scarlett pone los ojos en blanco—. ¿Crees? Dale caña, Valentine.

Frunzo el ceño y borro la publicación para volver a escribir:

> *Nacemos ignorantes, pero hay que trabajar muy duro para seguir siendo estúpido. Debes de estar agotada, @Scarlettbell. #densa #BenjaminFranklin*

Scarlett se ríe, encantada.

—¡Mucho mejor! Venga, otra vez.

Ser @Scarlettbell en Twitter es como gestionar un cementerio: tienes a mucha gente a tus pies, pero nadie te escucha. #6kseguidores #BillClinton

Nos empezamos a reír las dos.

Keep calm and SELFI de @FaithValentine. #Egocéntrica #Churchill

No eres nadie hasta que alguien te quiere, así que @Scarlettbell es... #Quién #FrankSinatra

Nuestro mayor honor no es no caernos nunca, sino PUBLICAR TODAS LAS CAÍDAS EN INSTAGRAM. @FaithValentine #atención #Confucio

La belleza es una alegría eterna. MALA SUERTE, @Scarlettbell #triste #Keats

Estamos riendo a carcajadas.

@Scarlettbell Esto también pasará. NO COMO TUS PEDOS CONSTANTES. #Apestosa #Anónimo

Nuestros teléfonos están ardiendo por las notificaciones de retuits y comentarios.

¡Sí! ¡Esto es la guerra!

Ellas sí que son un chiste, no están poniendo ni una sola cita bien. #Chicastontas #fail

195

—¿Sabes? —comenta Scarlett sin parar de teclear—. Organizar tu vida para que la consuman los demás está haciendo que todo el mundo sea su propio relaciones públicas. Y eso es aterrador. Además...

@FaithValentine huele a culo de tejón. #Descartes

Me entra hipo.

—Me voy a meter en un lío. —Hip—. Genevieve me va a sacar a dar —hip— un paseo en un barco por la noche y —hip— me va a lanzar al mar con el Oscar de la abuela atado a los pies. —Hip—. Que, por cierto...

Medio delirante por la risa, me hago un selfi sin pensármelo, poniendo cara de tejón rabioso —tengo el rímel corrido de tanto reírme— y actualizo mi foto de perfil.

—¿Quién es la vanidosa ahora?

—¿Cómo narices has conseguido que tu cara tenga esa forma? —Scarlett se está riendo tanto que ha empezado a toser—. No creo que ningún humano sea capaz de poner una expresión similar. Además... —tos—, dile a tu abuela que los Globos de Oro pesan más. —Tos. Mira al suelo—. Vaya, hola. Se nos ha unido alguien.

@Scarlettbell VOY A POR TI, TEN CUIDADO SEÑORITA DOÑA-NADIE #aspirante #dejaenpazamihermana #MercyValentine

Se me pasa el hipo de pronto.

«Caray, Mercy.» Solo mi hermana es capaz de amenazarte físicamente y usar un hashtag con su propio nombre.

—Ay, Letty. —Scarlett me mira fijamente con sus enormes ojos verdes—. Mer está abajo, en la cocina. Voy a ir a contarle que...

—¿Estás de coña? —Se pone una mano en el pecho—.

Esto es lo más bonito que he visto en la vida. ¿Saltar así por ti? ¿Sin hacer preguntas? Soy hija única, me das muchísima envidia.

De pronto me siento superorgullosa.

—Mercy es bastante bestia.

—Ya te digo. Seguramente sea una sociópata. —Scarlett sonríe y se recuesta sobre mis cojines—. Aunque también tiene algo de razón. Soy una doñanadie. Es decir, en el mundo del cine saben quién soy, me salen los premios de la crítica por las orejas, pero tu hermana tiene razón. Soy una aspirante porque no hago lo que realmente quiero.

—¿Y qué es lo que realmente quieres hacer?

Pone una mueca un tanto avergonzada.

—Teatro musical.

—Venga ya. —Pestañeo sorprendida—. ¿En serio? ¿Cantar, bailar, ponerte orejas de gato y todo eso?

—Sí. El pack completo. Ahí es donde se me va de verdad el corazón. —Se da un golpecito en el pecho—. Lo tengo hecho de mazapán.

—Y entonces ¿por qué...? —Me río.

—¿...he aceptado un papel en una serie de televisión sobre zombis? Soy una actriz sin blanca, Eff. Vivo en un estudio de mierda en Brixton. Acepto cualquier trabajo que me ofrezcan. ¿Qué te parece una pizza?

No lo entiendo.

—Ya... Comprendo lo que dices. —Asiento lentamente, intentando seguir con la metáfora—. Claro... Hay una base de queso y tomate, pero luego el resto de la gente te cubre con otros ingredientes, pepperoni, champiñones, aceitunas, y ni siquiera te preguntan lo que quieres, ¿no? Es como... —Empiezo a coger carrerilla—. A lo mejor eres una pizza de marisco. O de fresas y queso de cabra. A lo mejor eres de manzana de caramelo y coco, ¡o de tinta de calamar! Pero

¿cómo lo vas a averiguar si la gente no para de añadirte ingredientes?

Silencio.

—Claro... —Scarlett frunce el ceño—. Quería decir que pidiéramos una pizza. Deberías hacértelo mirar, tía.

La cara se me pone fría y caliente al mismo tiempo.

Por el amor de...

—¡Ah! —Asiento—. Claro. Sí. Pizza..., qué rica.

—Ajá... —Scarlett coge un lápiz de mi mesita de noche y mordisquea el extremo con sus diminutos y afilados dientes—. Oye, pues no suena mal, ¿eh? ¿Pizza de manzana de caramelo y coco? Yo me la comería. Tienes que ir a hablarlo con el banco o algo.

Le quito el lápiz de la boca y le doy un golpe con él.

—Tonta.

—Idiota.

—Psicópata trastornada.

—Robot emocional estreñido.

Empezamos a reírnos otra vez.

—Bueno. —Scarlett tira el teléfono a los pies de la cama, se saca un billete de veinte del bolsillo y me lo pone encima de las piernas—. Internet está aterrorizado; los seguidores, escandalizados; Einstein, destrozado. Pídeme una de queso azul con extra de piña, ¿vale?

PELEA DE GATAS MÁS ALLÁ DEL MIEDO

Hay una creciente preocupación por la salud mental de FAITH VALENTINE, a quien no se ha visto en público desde que su exnovio, NOAH ANTHONY, la engañó, y ahora se ha enzarzado en una discusión con la prometedora actriz Scarlett Bell.

La errática adolescente, que se afeitó la cabeza en

respuesta al affaire de Noah (izquierda), entró en una batalla dialéctica con la actriz en Twitter después de que esta le arrebatara a su papel debut en Quincena de terror.

—Faith está enfadada —afirman fuentes cercanas a la joven—. Siente que le han faltado al respeto al haber sido remplazada tan rápido. Se siente insultada y está bastante delicada ahora mismo. Está que echa humo.

En este rifirrafe en Twitter, Faith se ha referido a Scarlett como «densa», «doñanadie» y «triste». Además, se ha burlado de su número de seguidores y ha actualizado su foto de perfil.

—Estamos viendo una parte de Faith que no reconocemos —confesó un amigo cercano algo preocupado—. Esperemos que vuelva con Noah. Faith es muy buena chica.

35

¿Te has enterado de lo que ha pasado en Twitter?

Lo siento, no te sigo.

Me han echado.

Olvidaos de eso de tirarme al mar, a las siete de la mañana del día siguiente, me echaron de internet como si de un club exclusivo se tratase y yo fuera en deportivas. No puedo volver a entrar a ni una sola red social. Han cambiado todas mis contraseñas, han borrado todos mis tuits, han vuelvo a cambiar la foto de perfil por una en la que salgo impecable y se han publicado varias disculpas:

Me gustaría pedir disculpas por cualquier ofensa que puedo haberle causado ayer a la encantadora @Scarlettbell. Estoy muy avergonzada por mi arrebato. 1/3

No tengo excusa, más allá de que estoy muy cansada y que un ataque de gripe me ha nublado por completo el juicio. Scarlett es una actriz con mucho talento, la respeto y le deseo lo mejor. 2/3

Agradezco el apoyo de mis seguidores y mis fans en estos momentos tan complicados. Besos, Faith
#AmorLuzRisa ♥ ♥ ♥ 3/3

También han subido varias fotos nuevas a mi Instagram. La última es de un corazón dibujado en la arena, cubierto por conchas rosas y bordeado por el agua turquesa. Al pie: «El amor es real, nunca permitas que tu luz interior desaparezca. Nota dejes arrastrar por el odio #AmorLuzRisa ♥».

Mucha gente se ríe de la errata. Genevieve no.

—«No te» —murmura en voz baja cuando me subo a la limusina para ir a mi segunda clase de interpretación. Teclea furiosa en el teléfono: tap, tap, tap, tap—. Quería escribir «no te». Maldito autocorrector.

Me siento en el asiento trasero algo asustada. La asistenta de mi abuela lleva unos vaqueros rotos y una camiseta, el pelo recogido en una coleta despeinada, no va maquillada y muestra una expresión de ira. La apariencia de señora mayor profesional ha desaparecido.

—Genevieve...

—¿Te das cuenta del daño que has hecho? —me suelta, sin parar de teclear—. Intento mantener muchísimas cosas fuera de las garras de la prensa: la crisis de tu madre, el divorcio inminente de tus padres, la existencia de Roz, el viaje sin supervisión de Hope a Los Ángeles, las indiscreciones de Max, Mercy...

Se queda ahí: el nombre de mi hermana abarca muchísimas cosas.

—Y ahora vas y te pones a acosar POR INTERNET a una actriz desconocida. ¿Sabes en qué lugar deja eso a la familia Valentine? Tu abuela está que trina. ¡Ha exigido que borre todos tus tuits!

Se me tuerce la nariz y hundo la cabeza.

«Ay, abuela.»

—Lo siento, Genevieve —digo, volviendo a levantar la mirada con culpabilidad—. No pretendía darte tanto trabajo.

—Tranquila —me suelta, resoplando para quitarse un mechón de pelo de la cara—. Seguiré pasando las tardes dibujando flores en capuchinos y haciéndole fotos al pug de mis vecinos. Tampoco es que quiera tener una vida, ni nada de eso.

Frunce el ceño y sigue tecleando.

Me quedo mirándola muy sorprendida. A ver, un momento... ¿Ese perro ni siquiera es suyo? ¿Hace yoga de verdad? ¿Tiene un archivo con un montón de citas o se las sabe todas de memoria?

«¿Todo es mentira?»

—Eeeh...

—¿Has elegido ya a algún chico? —Me mira con frialdad—. En esa lista hay diez solteros y tienes que escoger a uno. No es tan difícil, Faith. La mayoría de las chicas matarían porque les confeccionaran una lista de pretendientes famosos.

Eso último hace que me enfade muchísimo.

—No quiero un...

—Mientras tanto, he enviado una nota de prensa y he donado dinero en tu nombre a varias organizaciones benéficas. Contactaré con los representantes de Scarlett para acordar una sesión de fotos amistosa. Te sugiero un restaurante de comida sana con buena iluminación.

Scarlett me envió un mensaje en cuanto se enteró:

TÍA, ¿están colgados de verdad?
¿No ven que empecé yo? Bss.

No te preocupes, ha merecido la pena ☺.
Bss.

—Pero...

—Hasta entonces... —Genevieve continúa ignorando mi

intento de tener algo que decir— estate quietecita. No podemos permitirnos echarle más leña al fuego.

Se pone unas gafas sin montura que estoy segura de que no necesita.

—Vale —digo, hirviendo por dentro—. Lo siento.

—Y ponte esto. —Genevieve me da unas gafas con cristales efecto espejo—. Y esto. —Una gorra blanca—. Y esto también. —Un jersey ancho blanco y una falda larga blanca juego—. Intenta caminar encorvada si puedes. Como si estuvieras avergonzada. Horrorizada por tu propio comportamiento, ya sabes.

En silencio, me pongo todo lo que me da conforme el coche se va deteniendo frente a la escuela de interpretación.

Toc. Una mano golpea la ventanilla cerca de mi cabeza.

—¡FAITH! ¡FAITH VALENTINE! ¿POR QUÉ ATACASTE PÚBLICAMENTE A UNA ACTRIZ DE LA CLASE OBRERA?

—¿FUERON TUS ARREBATOS LOS QUE HICIERON QUE NOAH SE ALEJARA DE TI?

—¿HAS PERDIDO LOS PAPELES?

Me giro hacia Genevieve, furiosa.

—¿Están aquí los *paparazzi*?

—Los he llamado yo —admite mientras una docena de personas con cámaras y grabadoras rodean el coche—. Antes de tu pequeño espectáculo online, estábamos intentando ocultarlo, pero ahora nos viene muy bien que se sepa que vas humildemente a una clase de interpretación.

—Claro. —Me da un vuelco el estómago cuando salgo del coche y empiezan a dispararse los flashes de las cámaras mientras yo me hundo aún más la gorra—. ¿Qué quieres que diga?

—Nada —dice Genevieve detrás de mí—. Mantén la boca cerrada.

«Pues vale.»

36

¿Te cuento un chiste sobre mantequilla?

Mejor no, que te puedes derretir.

Estar callada no supone un problema.

Desgraciadamente, cuando consigo atravesar a los *paparazzi* —con las gafas de sol y la gorra bien baja—, la clase está en su máximo apogeo: Jemima se encuentra acurrucada en una esquina, haciendo como que se lame una pierna; Zach gruñe; Ivy da saltos por toda la sala y Mia está tumbada bocabajo, siseando.

Ping.

Un selfi mío en mi Instagram: estoy tumbada en el suelo, sonriendo, rodeada de mariposas de papel.

> *El amor y la compasión son necesidades, no lujos.*
> *—Dalai Lama #curvadeaprendizaje #losiento*

Me dan escalofríos. A Genevieve hay que pagarle horas extra.

—¡Adelante, Faith! —dice el señor Hamilton—. ¡Suelta el

móvil y escoge un animal! ¡Y quítate las gafas y la gorra, por favor! ¡No estás en Hollywood!

Me deshago de todo, avergonzada.

Diego está galopando por toda la estancia, sacando los brazos: de vez en cuando, choca con Theo, que chilla e intenta esconderse debajo de una silla. Rafe y Zoe se están embistiendo mutuamente.

Intento pensar en qué animal soy. Una pena que el ratón ya esté cogido.

—Eh... —digo—. Creo que voy a elegir...

—No me lo digas, por favor. Interactúa con tus compañeros sin comentarle a nadie qué eres. Deja que tus acciones hablen por sí solas.

Me hago una bola y me pongo las manos sobre la cabeza. Luego espero a que se quede todo en silencio.

—¡Genial! —Por fin, una palmada muy fuerte—. Descansad, chicos. Después utilizaremos la teoría de Spolin para explorar cómo vivir en el momento durante una escena.

Dejo de parecer una bola, me levanto y me pongo rígida. Buena suerte, señor Hamilton. Mi abuela lleva un año entero intentando enseñarme eso sin éxito.

Mis compañeros se han ido directamente a la esquina del sofá y hablan acaloradamente sobre los ejercicios de esta mañana. («Eras un águila muy rara, Diego.» «Es que era un cernícalo.»)

Incómoda, me vuelvo a poner la gorra y las gafas de sol, y voy a sentarme con ellos, intentando hundirme el máximo posible en mi asiento. «Estate calladita, Faith.»

El teléfono vuelve a sonar. Lo miro disimuladamente: soy yo con un vestido de fiesta azul, dando vueltas en círculos.

No temas a la perfección: nunca la alcanzarás.
—Salvador Dalí #Errores #Pasandopágina

Me resulta irónico que, antes del Photoshop, mi cintura era ocho centímetros más ancha, mis bíceps estaban más definidos y el vestido era amarillo. Vuelvo a meterme el teléfono en el bolso.

—¿Quién es la Sputnik esa? —pregunta Jemima.

—Viola Spolin era una académica del teatro y profesora de interpretación muy importante —dice Raf poniendo los ojos en blanco—. Aunque yo, personalmente, me inclino más por la interpretación de método, como demostró Lee Strasberg.

—¿Ese no es el que inventó los pantalones vaqueros?

—No.

—¿Y Chéjov? —Zach está mirando el programa del resto de la semana—. ¿Es lo mismo? ¿Meisner? ¿Adler? ¿Uta Hagen? ¿Quiénes son estos?

Nos quedamos todos en silencio.

—A ver —entona Rafe—, ¿por qué no le preguntamos a la chica famosa? Seguro que es una experta en el mundo de la interpretación.

Se giran todos hacia mí con caras expectantes.

«No digas nada.»

—Eh... —Me encorvo aún más y escucho otra notificación en mi teléfono—. Chéjov habla más de la conexión física con el cuerpo. Meisner anima a los actores a responder directamente a su entorno. Adler enfatiza que la imaginación está por encima de la llamada emocional, Hagen pide a los estudiantes que aprovechen sus propias experiencias y Spolin se centra en la improvisación.

Luego me vuelvo a bajar la gorra para taparme la cara. Llevo un año muy largo y aburrido estudiando esas cosas; me parecía grosero no contestar a esa pregunta.

«Lo siento, Genevieve.»

—En serio, ¿qué narices haces tú aquí? —Zoe levanta las

manos—. ¡Ya lo sabes todo! Si estuviera en tu lugar, no perdería el tiempo con nosotros. Me pasaría la vida en fiestas de primera categoría, comiendo caviar y enrollándome con tíos que estén...

—¡ES QUE NO SABE ACTUAR! —Gruñe Rafe—. Qué pasa, ¿no tienes ojos? ¡Es horrorosa! ¡La peor de toda la clase! La fama no significa nada si no tienes talento.

Creo que acabo de encontrar al chico de los sueños de Mercy.

—En realidad, Rafe —dice Zoe fulminante—, los Valentine son la realeza de la interpretación. Somos muy afortunados de compartir oxígeno con una de ellos.

Y aquí tenemos a la chica de los sueños de la abuela.

Mis compañeros de clase se dan la vuelta para quedarse mirándome de nuevo y, de repente, me doy cuenta de que estoy hasta las narices de tener siempre la boca cerrada.

Algo dentro de mí se activa.

—Tiene razón —digo; me quito las estúpidas gafas de sol y las tiro al suelo—. No sé actuar.

Un cosquilleo cálido me recorre todo el cuerpo: «Ufff».

—Seguro que...

—No. —Otro «ufff»—. No. Sé. Actuar. Ni. Un. Poco. Si te soy sincera, estoy en esta clase porque soy tan mala actriz que mi familia teme que vaya a cargarme yo solita su reputación.

Madre mía, qué a gusto me he quedado.

Todos se quedan mirándome perplejos. Es como si hubiera abierto las compuertas y no pudiera parar, no quiero parar...

—¿Cuál es el juego favorito de una vaca? —Me quito la gorra y me paso la mano por la cabeza calva—. Las sillas muuusicales. ¿Cómo llamas a un espagueti de mentira? Impastar. ¿Os cuento un chiste de construcción? Todavía lo estoy montando. ¿Qué dice el queso al resolver un crimen? Emmental. ¿Qué es verde y tiene dos ruedas? El césped, lo de las ruedas es mentira.

Hay un silencio desconcertante.

«Ufff.»

—Sí —digo con una sonrisa de oreja a oreja.

«Uuuuuufff.»

—Tampoco sé contar chistes. No tengo el don de la oportunidad. No soy graciosa. No me gustan los perros, ¿a qué clase de persona no le gustan los perros? Me pongo las mismas mallas para correr ocho días seguidos y, sinceramente, huelen que apestan. Y mirad.

Saco el teléfono y suena una notificación, como si se lo hubiera pedido.

Una foto de los pies de una chica negra con unas zapatillas de ballet.

—Esa ni siquiera soy yo. —Se lo enseño a todos—. Ahora mismo hay una rubia muy enfadada en el asiento de atrás de una limusina, en un atasco, actualizando mis redes sociales. Yo ya ni siquiera tengo acceso a mis cuentas. Todo lo que leéis sobre mí es mentira. Siempre lo ha sido.

Silencio.

Pero estoy muy a gusto. Estoy tan aliviada que podría llorar, joder. Scarlett tenía razón: «No me tiene que importar lo que piensen. No me tiene que importar lo que piensen. No me tiene que importar lo que...».

—Esto... —Zoe tose—. Yo me retoco la nariz en todas las fotos que publico, llevo kilos de maquillaje y pongo la etiqueta de «cara lavada». No eres tan especial, Faith Valentine.

—Una vez fingí que iba a Glastonbury —interviene Ivy—. Me arreglé, me hice fotos bailando al fondo de un campo. Nunca he ido. Odio las aglomeraciones de gente.

—¡Ah! —Theo aplaude—. Yo me inventé una novia para

poner celosa a una ex. Mi compañero de piso me hizo una foto en el sofá con los ojos cerrados y la publiqué con el texto: «Odio cuando la *bae* me mira mientras duermo #nuevoamor».

—Yo compro ropa cara que no me puedo permitir, escondo las etiquetas, me hago fotos con ella puesta, pongo «#ad» e «#influencer», y la devuelvo. —Jemima se pone roja.

—Yo finjo mis aficiones —admite Diego—. Muchas.

—Mi novio y yo nos odiamos —susurra Mia—. Nos pasamos el día gritándonos y yo lloro y lloro y, cuando se ha ido a su casa, publico una foto nuestra, acurrucados en el sofá, con corazones por todas partes.

—Yo compro seguidores —admite Zach sonriendo—. Me siguen unos dieciséis mil robots rusos.

Nos giramos todos para mirar a Rafe.

—Patético —dice, arrugando la nariz—. ¿En qué mundo vivimos? Yo huyo de las redes sociales. —Hace una pausa y luego mira al suelo—. Pero la cuenta de mi perro salchicha mola bastante. ¿La queréis ver?

Empezamos todos a reírnos a carcajadas. Nos doblamos por la mitad, hacemos ruido con la nariz. Cada vez que alguno mira a otro, volvemos a empezar. Estamos tan ocupados editando una versión perfecta de nosotros mismos que no nos damos cuenta de que todo el mundo lo hace.

—¡Muy bien! —El señor Hamilton vuelve a la clase—. ¡En círculo!

Nos tiramos todos al suelo a la vez y ponemos las manos sobre nuestras cabezas. Y nos entra una risa histérica.

—Muy divertido —Me río mientras noto dentro de mí tanto calor y luminosidad que brillo por cada poro de mi cuerpo—. Ahora lo entiendo.

Y dejo de sentirme famosa.

Siento que me ven.

37

¿Sabes por qué nunca se ven elefantes escondidos en las copas de los árboles?

Porque se les da muy bien.

El resto de la clase es superdivertida.

Evidentemente, yo sigo siendo malísima: tenemos que usar unas llaves imaginarias para pasar por una puerta simulada y hacer como que reaccionamos a algo completamente inexistente al otro lado y no soy capaz de ver ni las llaves, ni la puerta, y ni hablemos del supuesto monstruo.

Pero Jemima abre mi puerta de una patada, Zoe arrastra a la bestia y Diego le da un puñetazo en la cara mientras yo hago como que grito histérica con las manos a cada lado de la cara. Y estoy demasiado ocupada riéndome con mis compañeros —e intercambiando números de teléfono— como para que me importe seguir siendo la peor actriz del mundo.

Cuando llego a casa, me siento... contenta. Ligera. Como si me desataran poco a poco hasta que me sueltan.

Le mando un mensaje a Scarlett:

210

¡La clase ha sido increíble!
¡Te apetece venir a mi casa?
Estoy superemocionada, pero demasiado
cansada como para salir. Bss.

Y me responde:

Tengo lectura de QDT, me toca
trabajar en el guion ☹. Pero ¡qué
genial! ¡Sabía que eras capaz! La
interpretación es cuestión de práctica.
Estoy orgullosa de ti. Bss.

Sin parar de teclear, abro la puerta de casa con una sonrisa. «Yo también estoy orgullosa de mí.»

Vale, buena suerte con la...

Algo me golpea en la cara.

—¡AAAAAAAAAGGGHHH! —grito como una loca—. ¡NO ME TOQUES! ¡SÉ DEFENSA PERSONAL Y VOY A DARTE UNA...! Ah.

Es un globo de helio con forma de corazón.

Me quedo mirándolo con sorpresa en el recibidor. Hay docenas de corazones rosas flotando en vertical, con las cuerdas colgando, como un bosque aterrador. Es como la versión de terror de *Up*.

—Pero ¿qué...?

Todos tienen notas:

No me voy a molestar en leer el resto. Os hacéis una idea.

Apretando los dientes, cojo todos los corazones y les arranco las etiquetas. Luego los llevo arriba. No paran de darme en la cara y de enrollarse por la barandilla, y yo me tropiezo a cada paso que doy.

¿Qué le pasa al tío este?

Si una chica se comportara así, la etiquetarían de pringada desesperada incapaz de pillar una indirecta, pero como es un tío, ¿debería sentirme halagada? Ya, claro.

Refunfuñando, llamo a la puerta de la habitación de Hope —no contesta, evidentemente ha vuelto a salir con Ben—, así que entro y suelto los globos rosas, que se quedan pegados al techo. Hay flores amarillas en cada espacio disponible. Parece que mi hermana pequeña y yo hemos tenido la misma idea: lo mejor es llevárselas a alguien que las aprecie.

Sacudo con agresividad el polvo de las cortinas de terciopelo de Po y me suena el teléfono.

—¿Ajá? —contesto, sin dejar de sacudir el polvo.

—¿Perdona?

—He dicho. —Sacudo—. A-já.

—Ya te he escuchado —dice mi abuela indignada—. Pero esa no es forma de contestar al teléfono, Faith. Ni siquiera es una palabra.

—Pues se me ocurren tres palabras que decirte —suelto. Y cuelgo.

Otra vez esa sensación de alivio: «Ufff».

Suena el teléfono.

—Se ha cortado inexplicablemente la llamada —continúa mi abuela entusiasmada—. No tenemos tiempo para tonterías. Necesito que te presentes en una hora en el centro de Londres.

Sacudo.

—¿Por qué?

—¿Perdona?

—He dicho «¿Por qué?» —Sacudo. Sacudo—. Ahora mismo estoy un poco ocupada. —Sacudo. Sacudo. Sacudo.

Silencio.

—¡Faith Valentine! Si estuviera buscando una actitud pasota, habría llamado a tu hermano. Has destrozado tu reputación, así que ha llegado el momento de que te guíe en la dirección correcta.

Frunzo el ceño y suelto las cortinas. Por supuesto.

—Vale. —Suspiro con resignación y salgo de la habitación de Hope para ir a la mía—. Y ¿cuál es el plan?

Me siento como uno de los asquerosos globos rosas de Dylan: atada a palabras que no digo de verdad, sujeta por algo pesado, golpeándome contra el techo.

—Sketch, Mayfair. La mesa está reservada para las siete de la tarde.

Echo un vistazo a mi armario.

—¿Cómo me tengo que vestir?

—Glamurosa pero respetable. Guapa pero sin que parezca que quieres atención. Simple pero llamativa. No eres una víctima, pero tampoco eres la agresora. Creo que irás bien con el Chanel azul claro.

Muevo las perchas de un lado a otro y saco un vestido muy soso hecho a medida.

—Ni siquiera te gusta Sketch —suelto, quitándome el modelito de «discreta pero a la moda» que me puso Genevie-

213

ve esta mañana y me enfundo el disfraz de «recatadamente femenina»—. No paras de quejarte de ese sitio todo el rato.

—Querida, si quisiera batido de chocolate en mi foie gras y fresas en el bacalao, le pediría a un niño de cinco años que me hiciera la cena. Pero no te vas a reunir ahí conmigo, así que me importa muy poco.

—¿Ah, no? —Me quedo muy quieta—. ¿Qué quieres decir?

—¿Qué ibas a conseguir quedando con tu abuela para cenar? Qué idea más ridícula. No; vas a una primera cita.

Un impulso de rabia me recorre todo el cuerpo: ardiente y con espinas.

—SERÁ UNA BROMA.

—NO, NO LO ES. —La abuela proyecta su voz teatral más grave.

—¡No puedes hacer eso!

—Claro que puedo, y lo he hecho. Tú no elegías, así que he decidido yo por ti. Evidentemente, no espero que te enamores, simplemente disfrutaréis de un acuerdo que os beneficia a ambos. El candidato quiere que la prensa hable de él. Tú necesitas que se te vea como válida, deseada y fuerte. Que sigues adelante, incontenible. Funcionará.

Otro impulso de rabia. Esto no es como el «buscar y remplazar» de un documento de Word. No puedes rastrear «Noah» y cambiarlo por el nombre de otro chico. Se trata de mi corazón.

—Basta ya de comportamientos estúpidos, por favor. Sé la Faith amable, considerada y dulce a la que conocemos y todo irá de perlas, querida. —Mi abuela ha vuelto a utilizar su voz teatral relajada—. Puede que incluso te lo pases bien.

Me quito el vestido enfadada, lo tiro al suelo y le doy una patada.

—¿Quién es?

—Una estrella de la televisión, creo. —Escucho cómo la abuela comprueba la lista—. Se llama Dylan Harris.

38

Y... se acabó.

—¿Faith Valentine? Bienvenida a Sketch. Su mesa es...
—¿DYLAN? ¿DYLAN HARRIS? ¿DE VERDAD ESTÁS AQUÍ, DILLLLLLLLLLLLY? ¡PREPÁRATE PARA LA CITA DE TU VIDA, NENE!
Porque el impulso de rabia que me trajo hasta aquí sigue ardiendo, cada vez más caliente y más intenso.
—¿DÓNDE ESTÁ? —La gente se gira conforme avanzo por el precioso restaurante, gritando todo lo alto que puedo—. ¿DÓNDE ESTÁ MI FUTURO MARIDO? ¡TE HA TOCADO EL PREMIO GORDO, CUCHI-CUCHI!
Para esta noche llena de amor intenso, he seleccionado los pantalones de un traje de chaqueta gigantescos de entre el montón de ropa sucia de Max, una sudadera color kaki enorme que he cogido de la habitación de papá y un par de calcetines desparejados y fosforitos combinados con unas chanclas rosas que mamá utiliza en el jardín.
Bastante simple. No demasiaaaaaaaaado glamuroso.

—Ay, ¡hola! —digo mientras cojo el pan de la cesta de otra mesa—. Adoooooooooro los carbohidratos gratis.

Luego me siento frente a Dylan y sonrío.

Aunque no hubiera visto la foto, no habría sido complicado averiguar quién era. Guapo, bronceado, dientes muy blancos, pelo negro engominado, ojos verdes e intentando con todas sus fuerzas no meterse debajo de la mesa.

—Bueno, bueno, Dildón. —Me meto el bollo de pan en la boca y escupo migas mientras sigo hablando—. Qué buena idea eso de sentarnos cerca del baño. He desayunado mucho, no sé si me entiendes. —Me doy golpecitos en la barriga—. Esperemos que tengan cantidad de ambientador ahí dentro; volvería a repetir lo de «no sé si me entiendes», pero creo que sí me entiendes.

Le guiño y él abre aún más los ojos.

La voz de mi interior me está gritando: «¡Sé bonita! ¡Sé elegante! ¡Sé femenina! ¡Sé agradable!». Pero, por primera vez, no le hago ni caso.

—¿Faith?

—¡Ya te digo, colega! —Me rasco la teta izquierda—. Me encanta tu bronceado de mentira, Dily. Mola un montón que te dejen escoger un color que no se suela encontrar en la naturaleza, ¿no?

Dylan abre la boca.

—En realidad es...

—Cáncer de piel. —Niego con la cabeza—. Qué listo, tío.

Luego me reclino en la silla y me paso las manos por la calva mientras lo miro de arriba abajo, y arriba, y abajo, y arriba, y abajo otra vez. Está increíblemente bueno, la verdad. Si te gustan los chicos que brillan como un trozo de jamón glaseado, claro; a mí no me van.

—¡Enhorabuena por las flores! —digo, metiéndome un dedo en la nariz, hurgando un poco y lanzando un moco invisible al otro lado de la sala—. ¡Y por los globos en forma de corazón! Un poco desesperado, pero oye, ¡lo has conseguido! ¡Estoy aquí! ¡Mi corazón es tuyo!

—Bueno, la competencia era fuerte, así que...

—Por favor, no me interrumpas cuando hablo. A ver, cuéntamelo tooooooooodo sobre ti, Dilcecito. ¿Quién eres? ¿A qué te dedicas? La historia de tu vida. Una sinopsis rápida, por favor, que no tengo todo el día.

Él duda durante unos segundos.

—Pues... como... creo que te he dicho, ahora mismo estoy en Netflix. Es una serie que se llama *La patrulla lobezna*, y soy el protagonista. Interpreto a un chico normal del instituto, pero cuando hay luna llena, me convierto en un...

—¿Hámster que toca el piano?

—Nooo. En un hombre lobo.

—¡Guau! Menudo giro inesperado.

—Sí. Y...

Chasqueo los dedos al pobre camarero.

—Tráenos dos platos de bacalao. Me muero de hambre, joder.

Dylan carraspea.

—Yo no como...

—Ah, no te preocupes, te va a encantar, cariño. Ya verás. —Me vuelvo a reclinar hacia atrás, pongo un pie encima de la mesa y me subo la pernera del pantalón—. ¿Qué te parecen mis pantorrillas? No están mal, ¿eh? Tengo tantos pelos que es como llevar dos poodles dentro de los pantalones.

La pareja de la mesa de al lado empieza a reírse.

Durante una milésima de segundo, me siento un poco culpable, pero luego recuerdo que este completo desconocido le contó a la prensa nacional que teníamos una «conexión» y que pensaba que «por fin le tocaba a él» y que era «nuestro momento».

«Vaaaya.»

—Pues... —dice Dylan—. Iba a ir a...

—Chisssss. —Le pongo el dedo índice sobre los labios y respiro hondo—. Espera un momento. Tengo que concentrarme mucho. —Pongo los ojos en blanco de forma dramática—. Todavía no. Todavía no. Todavía...

Abro la boca y sale un eructo enorme.

—Hostias. —Le sonrío triunfal, moviendo las manos—. Ha sonado como un Ferrari nuevo. ¿Puedes hacer algo así? Seguro que no.

Dylan se queda boquiabierto.

—Cierra el buzón, cariño. Te pareces al pescado que acabamos de pedir.

La mesa de al lado se vuelve a reír.

—No eres... exactamente lo que esperaba. —Dylan echa un vistazo a nuestro alrededor y se estremece.. Nos está mirando todo el restaurante. No creo que buscara precisamente este tipo de publicidad—. Ya nos habíamos visto antes, seguro que te acuerdas. En el estreno de la película de tu madre, hace unas semanas. En la Tate Modern. Estabas... diferente.

¿Por eso es «un viejo amigo de la familia»? ¿Porque nos hemos visto una vez?

Ni siquiera fue una fiesta divertida: básicamente lo que pasó fue que yo tuve que apartar a Mercy de la mesa del DJ, discutimos mogollón y me di cuenta bastante más tarde de que Hope lo había escuchado todo, lo que hizo que huyera a otro país.

Y, aun así, ¿este se piensa que él es el recuerdo que me ha quedado de aquella fiesta?

—No te recuerdo. —Me encojo de hombros y arrugo la nariz otra vez—. Los chicos guapos siempre me parecéis todos iguales.

—¡Gracias! —Se lo ve muy halagado, y no entiendo por

qué—. Hablé con tu hermana pequeña un rato. Me tiró los tejos bastante descaradamente, pero no es mi tipo. Un poquito intensa, si te digo la verdad.

Dice el tío que me envió una rosa cada cinco minutos.

Además, estoy segurísima de que mi dulce, romántica y esperanzada pequeña Po no pretendía ligar con este completo... ¿A quién pretendo engañar?, por supuesto que lo hizo.

—La he visto meterle ficha a un pastor alemán —digo—. Tiene muy poca vista y muy mal gusto.

—Aquí tienen, *madame*, caballero. —Nos ponen delante dos platos diminutos de pescado cubierto con fresas—. Espero que sea de su agrado.

Sonrío inmediatamente al camarero. Le voy a dar una propina importante.

Pasa el tiempo y la cita va llegando a su fin. Un pequeño esfuerzo más y me podré ir a casa, ponerme el pijama, acurrucarme, comerme un sándwich de queso, llamar a Scarlett y dormir. Objetivo conseguido: Dylan, aniquilado. La lista de chicos, arruinada. Genevieve y la abuela no volverán a dirigir mi vida amorosa.

Oficialmente, es la peor primera cita de la historia: lo he clavado.

—Eh, eh, eh —digo mientras la estrella de *La patrulla lobezna* coge un tenedor—. Quieto ahí. El tuyo es más grande. ¿Me lo cambias? —Intercambio los platos y los vuelvo a examinar—. No, mejor no. Devuélveme el mío. Pero con tu salsa. Y unas cuantas fresas más.

Con una sonrisa de oreja a oreja, cojo una cucharilla y empiezo a pasar gran parte de su plato al mío. La abuela tenía razón: sí que me estoy divirtiendo.

—¿Qué? —le digo a Dylan cuando se me queda mirando. Un trozo de pescado me sale disparado de la boca—. ¿Qué pasa? —Trago—. Esta cita está yendo muy bien, ¿no crees, cariño? Sospecho que podrías ser El Definitivo. Siento una conexión de verdad. Como si por fin te tocara a ti. Es nuestro momento, ¿no te parece?

Silencio largo.

Y —de buenas a primeras— me quedo sin energía.

—A ver... —dice finalmente Dylan, inclinándose hacia atrás—. Mi agente me dijo que pedirte salir me vendría genial para mi reputación. Consideraba que salir con una Valentine de verdad impulsaría mi carrera.

Yo escarbo en mi trozo de pescado: sí, todos sabemos por qué estás aquí, gracias por la aclaración.

—Yo no estaba tan convencido —continúa—. O sea..., eres un bellezón, pero siempre me has parecido... No sé... ¿Aburrida? ¿Fría? Quedo con tías buenas a todas horas, a las chicas les encanta que sea un lobo de la tele, pero es... No sé, un poco bah, ¿sabes? Son todas iguales.

Trago con fuerza la comida que tengo en la boca.

—Tú no eres como las demás. —Sonríe mostrando sus dientes de un blanco cegador—. No sé, esto es... reconfortante. Es un reto. Es evidente que yo no te gusto y eso... me flipa.

Me quedo mirándolo fijamente, completamente consternada.

—Así que, sí. —Dylan Harris asiente, como si acabara de tomar una decisión—. Me encantaría volver a verte, Faith Valentine. Gracias por preguntar.

Esto tiene que ser una puñetera broma.

39

EL ROMANCE FLORECE EN VILLA VALENTINE

Anoche se vio a la maravillosa Faith Valentine con la estrella de la televisión Dylan Harris, confirmando los rumores de que son la nueva pareja de moda en Villa Celebrity. Forjando su amor en secreto desde la ruptura de Faith con el infiel de Noah Anthony, hicieron su primera aparición en público en Sketch. «Ella parecía muy cómoda», nos ha dicho un testigo. «Dylan está cada vez más enamorado», ha confirmado un amigo de ambos. «¡Cree que puede ser la definitiva!»

Noooooooooooooooooooooooooooooo, dice T-zone. ¡He vuelto a perder mi oportunidad!

LLAMADA PERDIDA: Noah

LLAMADA PERDIDA: Noah

LLAMADA PERDIDA: Noah

LLAMADA PERDIDA: Noah

¡Ey! ¡Nos olvidamos de darnos los
números! No pasa nada, me lo ha dado
tu agente. Te llamaré. Dildón. Bss.

LLAMADA PERDIDA: Número desconocido

¡Fiesta esta noche! ¿Vienes conmigo? D.
Bss.

PD: es una fiesta formal, así que nada
de pantalones anchos, ¡y a lo mejor
podrías depilarte! LOL. Bss.

LLAMADA PERDIDA: Número desconocido

LLAMADA PERDIDA: Noah

Eff, ¿QUÉ PASA? ¿Para esto necesitas
«espacio»? ¡¿Para poder salir con
otro?! N. Bss.

¿En serio soy yo la «loca»? Le respondo rápidamente:

> Noah, ha sido todo un montaje.
> Te lo prometo. No estoy con nadie.
> F. Bss.

Me encantaría decirle a Dylan dónde puede irse, pero,
por desgracia, me he dormido y llego tarde al taller de inter-

pretación. Además, seguramente se lo tomara como una declaración de devoción eterna.

Cambio su nombre en la agenda por: TÍO RARO: NO RESPONDER. Y bajo la escalera corriendo.

—¡Vaya, vaya, hermanita! —Max aparece en el pasillo agitando un bote de nata montada—. ¿Qué pasa? ¿Qué tal tu cita de rebote? Ya tuve que darle su merecido a ese idiota una vez, cuando intentó tirarle los trastos a Po. Avísame cuando tenga que volver a hacerlo.

Max flexiona el brazo para sacar bíceps; yo cojo mi bolso. Por mucho que quiera a mi hermano, no pienso hablar de mi escapada nada romántica con alguien que se zampa medio bote de nata montada directamente del frasco.

—Max. —Miro a la cocina—. ¿Has... limpiado?

—¿Cómo? —Vuelve a echarse nata en la boca y traga—. ¡Nooo! ¿Estás loca? Acabo de llegar a casa. Anoche mamá estuvo merodeando por ahí otra vez como un Papá Noel muy delgado. Parece que por fin se ha dignado a coger un trapo, ¡aleluya!

Anda, ¡mamá! Tengo que ir a ver cómo está cuando vuelva de clase. Cojo las llaves.

—¿Qué tal te lo pasaste anoche?

—Genial. —Me sonríe con la punta de la nariz manchada de nata—. Lo único que diré, Eff, es que por fin estoy recibiendo el nivel de adoración que me merezco. Tooooooodo gira en torno a mí.

En serio, que alguien le diga a esa pobre chica que huya.

—Hablando de adoración —mi hermano continúa mientras yo abro la puerta. El chófer ya está esperándome fuera, pero sin Genevieve, gracias al cielo—. Te ha llegado otro regalito nada pequeñito, rompecorazones. Espera.

Max entra en el salón y desaparece; luego vuelve con el oso rosa de peluche más grande, blandito y horroroso que he

223

visto en mi vida. Tiene el tamaño de un ternero y lleva un corazón en los brazos en el que pone «ERES MÍA».

«Eso no te lo crees ni tú, Dylan.»

—¿Quieres saber lo que ponía en la tarjeta? —pregunta Max, agitando una patita peluda delante de mi cara—. «Dizzer va a por ti, Eff.» Rima y todo.

—No —digo cortante. Y cierro de un portazo.

La clase está a tope cuando llego.

—¡TENGO UN ARMA AUTOMÁTICA! —Diego le grita a Zoe desde la esquina de la sala—. ¡Voy a utilizarla! ¡No intentes detenerme, no intentes...!

Al menos espero que la clase haya empezado. O eso, o alguien tiene comprobar si el pobre Diego está bien; y quitarle la ametralladora.

Ha sido una semana intensa.

—Buenos días —susurra Mia con una mirada traviesa mientras me siento en silencio en la silla que hay vacía a su lado—. ¿Qué tal tu cita con Dylan Harris? Lo he leído esta mañana en las revistas. Es moníííííísimo. ¿Estás locamente enamorada o eso también es mentira?

—Todo un montaje —le susurro con una sonrisa extraña.

—Ya no sé qué creer. —Mia hace un gesto como si le explotara la cabeza—. En fin. —Señala a Diego, que todavía le está gritando a Zoe—. ¡Por fin estamos «rodando», Effie! ¡Escenas de verdad! ¡Para videobooks de verdad!

Ivy se inclina hacia delante, rosa de la emoción.

—Primero impro y esta tarde, teatro con guion.

Me entran escalofríos. «Improvisación.»

De todos los tipos de teatro que se me dan mal —es decir, todos—, el de inventarme mis propias frases es el que peor me sale.

—¿Qué han hecho hasta ahora? —Se me estrecha la garganta por el miedo—. ¿Nos da alguna indicación?

—Esta es la primera que hacemos —responde Theo susurrando—. Se supone que Diego es un monje del siglo xvi, pero se ha puesto en plan Liam Neeson. Zoe está intentando seguirle el juego.

—No creo que sea un arma automática, PADRE —dice desesperada—. Más que nada, porque todavía no se han inventado.

Mis compañeros de clase y yo nos miramos, riéndonos.

—A mí me ha dado: «Esperando en la parada del autobús» —me cuenta Ivy—. Un poco decepcionante, la verdad. He hecho eso hace unos cuarenta y cinco minutos en la vida real.

—Yo soy una azafata de vuelo —me dice Mia, dando saltitos en su silla—. ¡Rafe es un piloto que se pasa la mitad del vuelo inconsciente y tengo que despertarlo antes de que nos estrellemos! El DRAMA.

—¡No es justo! —Gruñe él—. ¡No voy a poder mostrar mi talento si me paso toda la escena dormido!

—Algo me dice que no lo va a estar.

Sonreímos todos otra vez.

El señor Hamilton nos mira con el ceño fruncido —«Chisss»—, así que nos agrupamos más.

Theo me enseña un trozo de papel en el que pone: «Te han pillado robando en una tienda».

—Jem es la guarda de seguridad que lleva años tras de mí.

—Sep. —Sonríe—. Coge un paquete de chicles y estás acabado.

—¡AAAAAAAAAGGGH! —grita Diego desde una esquina de la sala, sacando lo que asumimos que es una granada de mano del siglo xvi y poniendo fin a la escena—. ¡¡BUUUUUUM!!

—¡Por el amor de Dios! —suelta Zoe, levantando las manos—. Dee, te agradezco el entusiasmo, pero nos quedaban como tres cuartos del tiempo y yo solo he dicho dos frases.

—Me he dejado llevar por mis instintos —dice a la defensiva.

—Te voy a dar yo a ti instinto —se queja Zoe.

Sin dejar de refunfuñar, vuelven a sus asientos. Tragando nerviosa, miro alrededor para ver quién queda.

Supongo que eso significa que mi pareja es...

—¡Zachary y Faith! —nos llama contento el señor Hamilton, mirando su lista—. ¡Sois los siguientes! A ver si conseguís durar los diez minutos asignados, ¿de acuerdo? Si no, volveremos a los juegos de calentamiento.

La luz de la cámara parpadea; me quedo paralizada.

Hace tres años, fui a ver a mamá hacer de Hermione en *Cuento de invierno* de Shakespeare. Hay una escena increíblemente potente en la que todos piensan que ella es una estatua, pero termina volviendo a la vida. Yo me siento ahora mismo como si me pasara al revés: como si estuviera atrapada dentro de un cuerpo rígido, frío e incapaz de moverse.

No hay ejercicios ni calentamientos que valgan. He pasado de ser un palo de madera a una placa de mármol.

—¡Oye! —dice Zach con alegría, dándome golpecitos en el brazo—. Eff, había pensado que podríamos hacerlo como si fuera un romance. Ya sabes: miradas de deseo, cogernos de las manos. A lo mejor podríamos también... ¿enrollarnos? Si te parece bien, digo. Yo lo veo. Lo que sea por el arte, ¿no?

—Buen intento —comenta Jemima—. Eso no me lo esperaba, Z.

Intento sonreír, pero tengo la sensación de que me corre cemento por las venas. No me puedo mover, no me puedo mover, no me puedo mover.

—¡Tú puedes! —Mia me aprieta el brazo. El resto de mis

compañeros me sonríen con cariño—. ¡No te pongas nerviosa, Eff! ¡Lo llevas en la sangre! ¿Te acuerdas? ¡Eres una Valentine!

—Toma. —Zach me da un trozo de papel—. Nuestra escena.

Me quedo mirándolo: «Estás sentada en la sala de espera
de urgencias de un hospital».

Me levanto despacio de mi silla, como si estuviera hecha
de piedra.

—Y... —El señor Hamilton nos sonríe—. ¡Grabando!

40

Me coloco en mi posición.

—Madre del amor hermoso. —Zachary resopla con un suspiro muy elaborado mientras se sienta en una silla plegable—. No hay nada que odie más que sentarme en la sala de espera de un hospital. ¿Verdad, cariño? —Me coge la mano y me da un beso en la mejilla—. ¿Qué hacemos para pasar todo este rato? ¿Hmmm?

Mis compañeros se ríen.

Yo me quedo mirándolo. Esto no se parece en nada a la sala de espera de un hospital. No hay carteles sobre el tracto intestinal, ni que te aconsejen que te palpes las tetas en busca de bultos. No hay un olor raro, como metálico, en el ambiente. Y no hay nada pintado en verde menta. Mi silla no es dura ni está pegajosa, y no hay gente paseando ansiosa de un lado para otro, con el cansancio dibujado en la cara.

No hay nadie susurrando, nadie llora, nadie se queja de dolor encogido en el suelo.

—¿Cómo crees que estará? —Zach me aprieta la mano y mira al reloj de la pared—. Espero que bien. Lleva tres horas ahí dentro.

Yo también miro hacia arriba.

No han pasado horas.

Tengo la sensación de que han pasado días, semanas, años, y que las estrellas han implosionado y las civilizaciones han muerto y los mares se han secado y las selvas se han vaciado y nosotros seguimos aquí, mirando a una puerta.

—¿Te parece si vamos a por un café o algo? —Zach me toca la rodilla—. Me vendría bien una ayudita para mantenerme despierto.

Miro su mano.

Yo no necesito nada para mantenerme despierta. Es precisamente el sueño lo que me cuesta trabajo encontrar.

Sudando, en mitad de la noche, pasando el brazo por encima de Mercy, poniendo la alarma a las seis de la mañana para que la angustia sea más corta.

—¿Faith?

Paseando sola por el pasillo a oscuras.

—¿Faith?

Con dolor por todo el cuerpo.

—¿Hola? ¿Faith? ¿Estás ahí?

Es como si alguien estuviera arrancándome lentamente la piel de todo el cuerpo. Desollándome, descapándome, pelándome como una naranja una naranja una naranja una naranja «una naranja».

—Eh, Eff...

—¡DÉJAME EN PAZ! ¡QUÍTAME LA MANO DE ENCIMA! ¡NO ME TOQUES!

—Lo... Lo siento. No...

—¡NO! —Me pongo de pie de un salto, temblando—. ¡APARTA! ¡NO QUIERO QUE ME PIDAS PERDÓN! ¡QUIERO QUE TE PUDRAS EN EL INFIERNO!

Haz que pare. Haz que pare. «Haz que pare.»

—Faith, yo...

Agarro a Zach por el jersey con las dos manos lo levanto de la silla y lo arrastro por toda la sala.

—¡TE ODIO! —grito, estampándolo contra la pared.

—Eh. —Parpadea—. No sé qué estás...

Golpe.

—ESTABAS MIRANDO EL TELÉFONO.

Golpe.

—ESTABAS MIRANDO EL TELÉFONO, PEDAZO DE IDIOTA EGOÍSTA. QUIERO HACERTE DAÑO. QUIERO MATARTE. QUIERO ROMPERTE EN MIL PEDAZOS IGUAL QUE TÚ NOS ROMPISTE A NOSOTROS.

Tengo la cara mojada: lágrimas, saliva, mocos.

Golpe.

—Au, Faith.

—ME HAS DEJADO CON TODA ESTA MIERDA. SIEMPRE TENGO QUE SER YO LA QUE NOS MANTIENE JUNTOS Y LIMPIA TUS DESASTRES, PERO NO PUEDO, NO SÉ CÓMO HACERLO, NO SOY LO BASTANTE FUERTE.

—Faith.

—ME DA IGUAL QUE LO SIENTAS. ME DA LO MISMO QUE NO DUERMAS POR LAS NOCHES. PORQUE TÚ ERES UN DESCONOCIDO Y PUEDES IRTE DE ESTA SALA, PERO NOSOTROS NO NOS VAMOS A IR NUNCA.

—Corta, Faith. Fin de la escena.

Estoy llorando a moco tendido, temblando.

—Y estoy cansada —susurro—. Estoy muy cansada de fingir. No puedo ser actriz porque estoy todo el tiempo actuando.

—¡FAITH! —El señor Hamilton grita—. ¡Suelta a Zachary antes de que le hagas daño!

Sollozando, abro las manos y me las quedo mirando.

Son moradas.

Morado, todo es morado.

«Me he vuelto loca.»

—Ehm... —Zach se frota los hombros—. Faith, ¿estás bien? O sea, que genial que te hayas metido tanto en la escena, pero igual te has dislocado algo. —Se gira hacia el señor Hamilton—. Oye, que podría haberme escapado, ¿eh? Pero la tía buena es sorprendentemente fuerte. Para que lo sepas.

Yo sigo mirándome las manos.

«Ya está. Es lo mismo que le pasó a mamá. Una niebla cada vez más densa que me traga poco a poco.»

Medio atontada, me giro hacia mis compañeros. Todos están mirándome sorprendidos, con los cuerpos tensos, las caras blancas y los ojos muy abiertos.

—Ay —susurra Zoe, poniéndose la mano en la boca—. ¿Era eso lo que tenía que hacer?

Y yo no sé cómo...

No puedo...

Han visto algo imposible de retirar.

—Lo siento —digo, secándome la cara y cogiendo mi bolso—. Lo siento muchísimo. Tengo que... irme.

41

¿Qué es rojo y sube y baja?

Un tomate en un ascensor.

¿Dónde organiza la NASA las fiestas?

En un sitio con suficiente espacio.

¿Cuál es la música que menos le gusta a un globo?

El pop.

¿Dónde aprenden los niños de Bélgica a escribir?

En coles de Bruselas.

¿Por qué a Humpty Dumpty le encanta el otoño?

Porque lo único que se caen son las hojas.

¿En qué se diferencia una cama de un elefante?

En que el elefante es un paquidermo y la cama...

—... dejarla salir. ¿Estás de coña? ¡No está en condiciones mentales para aparecer en público! ¿Te imaginas? Sería muy humillante.

—¡Es capaz de tomar sus propias decisiones!

—Por no hablar de que sería la portada de todas las revistas. ¿Quieres arruinar nuestra reputación? «Los Valentine oficialmente están como cabras.» ¿Y ese pelo?

—¡A mí me gusta! ¡Es mono!

—No es mono, hace que parezca que está aún más loca.

—Es vulnerable, a la pobre le ha caído todo a la vez. No está preparada, ya está.

—Ya. —Una risa sarcástica—. Y es la única de esta familia que importa. Es la única que tiene emociones. No te olvides.

Qué ilusa he sido al pensar que podría venir a casa a llorar tranquila.

No me extraña que Hope saliera huyendo hace unas semanas. No puedes hacer ni un movimiento en esta familia sin chocarte con una conversación brutal sobre alguno de sus miembros. Igual deberíamos empezar a llevar cascabeles o algo.

La rabia intensa se está acumulando otra vez. Es como si acabara de descubrir que tengo un montón dentro y no sé cómo hacer que desaparezca.

—¿Y qué me dices de su arrebato del otro día? —añade Mercy furiosa—. ¿Queremos que pase algo así en...?

—¡BASTA! —grito mientras abro la puerta—. ¿PODÉIS HACER EL FAVOR DE...?

«Pum.» Un globo con forma de corazón vuelve a darme en la cara y yo le propino un puñetazo.

—¡...DEJARLO YA! —El globo se aparta, flotando en su cuerdecita rosa—. NO ESTOY LOCA. —Puede que sí—. NI SOY VULNERABLE. —Soy extremadamente vulnerable—. Y estoy en perfectas condiciones mentales para aparecer en público. —Para nada estoy en condiciones de aparecer en público—. Y NO OS VOY A HUMILLAR. —Probablemente sí—. Y mi pelo era...

Otro globo me golpea en la cara.

Otro puñetazo.

—¡¿PUEDE ALGUIEN LLEVARSE DE AQUÍ ESTOS MALDITOS GLOBOS?!

—¡Perdón! —Hope viene corriendo y coge un montón de globos—. ¡Lo siento, Eff! Los he encontrado en mi cuarto, no sé de quién son, pero el otro día aparecieron cientos de rosas amarillas también. ¡Alguien debe de estar perdiendo los huesos por mí! Seguramente algún chico guapísimo del colegio. Es evidente que causé sensación.

Hope sonríe —completamente frívola— y yo me quedo mirando a Mercy con sorpresa. ¿Fue ella la que metió las rosas en la habitación de Hope?

Nuestra hermana mayor se encoge de hombros.

—A ver —digo, con la voz mucho más baja—. No tenéis que dejarme encerrada en casa como si fuera una...

—Eh... —interrumpe Max—. Sin ánimo de ofender, acabas de darle un puñetazo a unos globos, Eff.

—Además —Mer frunce el ceño—, tienes un montón de pósits garabateados con frases sin sentido.

Me pongo colorada y me meto los papeles en el bolsillo.

—Venga ya —digo—. Ahora resulta que no puedo darle un puñetazo a un corazón sin parecer...

—No estábamos hablando de ti, Eff —Max me da una palmadita en el hombro—, sino de mamá. Se supone que esta noche tiene que presentar una subasta benéfica.

—Pero no podemos dejarla salir de casa tal como está— interviene Mer.

—Yo creo que está guapa —dice Hope—. Se parece a las cosas que Maggie clava en el jardín para asustar a las palomas.

—¿Mamá? —Tengo el corazón en un puño—. Pero... ¿por qué estabais hablando de su pelo?

—Adelante, compruébalo por ti misma.

Me adentro en el pasillo, confusa, y llamo a la puerta de la habitación de mi madre. Me quedo esperando un buen rato hasta que por fin la abre.

«Toc, toc, ¿hay alguien ahí?»

—Ah, hola, cariño. —Mamá me mira directamente a los ojos—. Qué amable por tu parte venir a visitarme. Pero me temo que no te puedes quedar. Estoy a punto de salir, como ves. —Vuelve a entrar en su habitación rancia, oscura y sin aire—. Pero no encuentro mi alianza de boda. ¿Qué diría tu padre?

«No creo que le importara. De hecho, espero que, ahora que tiene una novia nueva, deje de vivir aquí; además, estáis en pleno divorcio.»

—Hola, mamá. —Entro despacio en la habitación—. ¿Dónde vas?

—A una fiesta, cariño. —Mueve con elegancia una mano—. Todos mis amigos van a ir. Tienen muchas ganas de verme, como te puedes imaginar.

Me quedo mirando la espalda pálida y huesuda de mi madre.

Lleva un vestido de fiesta de satén verde —que una vez le sentó como un guante, pero que ahora le queda demasiado grande— y está descalza y con los pies sucios. El pelo, normalmente de un rubio brillante, lo tiene despeinado y enredado, con unas raíces grisáceas enormes. Y, enredadas entre

235

los mechones, un sinfín de joyas: diamantes, esmeraldas, zafiros, amatistas; gargantillas, broches, pendientes. Brilla bajo la luz tenue como un nido de una urraca que se ha venido arriba.

En su cabeza, Juliet Valentine siempre está representando a Ophelia.

Todavía no estaba preparada para salir del centro de rehabilitación.

—Ay, mamá. —Doy otro paso adelante en silencio—. ¿Qué te has hecho en el pelo?

—Qué pelo más bonito. Cuántos tirabuzones.

—Mamá.

—Es lo primero que vi, ya lo sabes.

—Mamá.

—Pero, cariño, me tengo que ir. —Coge una tarjeta de color crema y dorado de encima de su cómoda—. Mira, ¿ves? Dice que es un acto benéfico.

Trago con fuerza. Mis hermanos tenían razón. Mamá no puede salir de casa. No solo porque acaparará todas las portadas mañana por la mañana —destartalada, centelleante, mugrienta y vacía—, sino porque se rompería lo poco intacto que quede en su interior.

Y mi trabajo es asegurarme de que eso no pase.

—De hecho —digo de pronto, dándole un beso en la mejilla—, me acaban de llamar de la agencia. Resulta que han retrasado un par de semanas la subasta de esta noche. Han tenido un problemón con el catering, por lo visto. Me han dicho no sé qué de que la nevera no funcionaba. Nada de bebidas frías, los canapés arruinados... ¡Un auténtico desastre!

Mamá se sienta con cuidado en la cama.

—Vaya.

—Me han dicho que quieren que lo presentes tú, sin

duda, en cuanto todo esté solucionado. Todos te han echado de menos, ya lo sabes.

Mi madre asiente despacio.

—Muy bien, cielo. Si crees que es lo mejor... —Se reubica y me mira directamente a los ojos. Me pone con amabilidad una mano en la mejilla y me sonríe con ternura y con una expresión extrañamente presente—. Gracias, Faith. Siempre has sido la más linda de mis chiquitines.

Se me cierra de pronto la garganta.

Le quito despacio las joyas a mi madre del pelo, las coloco en una caja de cristal que hay junto a la cama y la tapo con las sábanas de seda.

—Duerme un poco —le susurro, y le doy un beso en la frente—. Ya tendrás tiempo para fiestas cuando estés mejor.

Mamá asiente y cierra los ojos. Abro ligeramente las cortinas y las ventanas; echo un poco de perfume en el aire y me cargo los brazos con un montón de platos de comida y tazas de té frío. Luego vuelvo con mis hermanos.

—Oye —digo, dándoles los platos y las tazas—, vosotros también podéis entrar a verla de vez en cuando, ¿eh? No os va a morder. La tristeza no se contagia.

—Claro que sí —dice Mercy mirando dentro de una taza.

—Y ¿cuál es el plan? —Max me sigue por el pasillo como un perrito—. Porque las entradas para la subasta han sido ridículamente caras, Eff. Estamos hablando de miles de libras. Y nadie va a presentarla gratis, y con menos de una hora de antelación. ¿Le damos un chute de cafeína y la llevamos?

Voy a mi habitación. Nunca me he sentido más como una Valentine: tan loca y desbaratada y disfuncional.

—No —digo relajada—. Lo voy a hacer yo.

42

Llevo toda mi vida preparándome para esto.

Un vestido de alta costura, tacones de diseño, un bolso de mano edición limitada, un perfume personalizado, base de maquillaje, iluminador, bronceador, colorete, contorno, sombra de ojos, delineador, pestañas, cejas. Años de perfeccionamiento de mi rutina de acicalamiento para poder realizarla con la misma diligencia y poca concentración que un trabajador no cualificado en una fábrica de carne.

Pero... también soy la carne.

Faltan pocos minutos para que John, el conductor de la limusina, llegue; cojo algo que parece un Pomerania dormido del suelo de mi habitación y me lo coloco en la cabeza. La peluca es cara, tiene una diadema y está hecha de pelo de verdad. Le doy un beso en agradecimiento. «Gracias por ser tan descuidada, Mer.»

Luego me coloco frente a mi espejo roto.

El vestido llega hasta el suelo, está hecho a mano y cuesta miles de libras: capas de tela blanco puro, con mangas anchas y un corte en un lateral. Los tacones dorados de Prada hacen que mida más de uno ochenta, y mis piernas parecen las de un dibujo animado. La peluca es morena, brillante y suave, y reposa sobre mis hombros. Mi cara parece la de una muñeca: labios carnosos, pómulos muy marcados, nariz pequeña, unos ojos enormes con unas pestañas densas y largas, como las de un ciervo.

Mi cuerpo es marrón, delgado y perfectamente tonificado. Bueno, o debería: menos la semana pasada, llevo cuatro años entrenando más de cuatro horas al día.

No veo nada que la abuela pudiera querer cambiar. Estoy perfecta.

Siento una náusea.

—¡Ey! —dice Max cuando bajo la escalera. Tiene una cámara de vídeo—. ¡Sonríe, hermanita!

Sin dejar de caminar, levanto un dedo. No es importante cuál. Luego —reluciente e impecable—, me subo a la limusina.

«Puedo hacerlo. Puedo hacerlo. Puedo hacerlo.»

Lo único que tengo que hacer es subir al escenario, ser agradable, sonreír, sacar el hoyuelo, decir gracias, leer el guion y todos contentos. Mamá tendrá la privacidad que necesita, Genevieve podrá publicar algo de verdad, la abuela estará orgullosa, los *paparazzi* tendrán sus fotos y la organización benéfica, su dinero.

«Lo finjo por los Valentine.»

—¡Faith! ¡FAITH VALENTINE! ¿CÓMO ESTÁ TU MADRE?

—¿Es verdad que vas a presentar tú la gala en lugar de Juliet? ¿Qué le pasa ahora?

—¿No iba a ser esta su reaparición?

La limusina se acaba de parar en la puerta del hotel Dorchester —blanco crema, con unas marquesinas pomposas y los balcones de hierro forjado—, y los *paparazzi* ya están arremolinados, gritándome a través de las ventanillas tintadas.

Espero unos segundos hasta que dejen de temblarme las manos. Hasta que mi yo de verdad esté escondido en un lugar seguro, muy profundo, como en un riñón o, yo qué sé, en el páncreas.

El chófer abre la puerta y salgo exactamente como me han enseñado: las rodillas muy juntas, deslizándome hacia la puerta, con los tacones en el suelo, las piernas dobladas con gracia y levantándome muy despacio. Luego saco el hoyuelo y sonrío dulcemente a la prensa.

—Buenas noches. —Flash, flash, flash, flash—. Me temo que mi madre se encuentra indispuesta por una emergencia dental de última hora. Se está recuperando sin problemas. Muchas gracias por vuestra preocupación.

Flash, flash, flash, flash, flash.

—¿Y QUÉ PASA CON DYLAN HARRIS? —Flash—. ¿Te va a acompañar esta noche, Faith? —Flash, flash—. ¿Qué opina Noah de él? ¿Se han conocido?

—¡Estás despampanante, Faith! ¿Estás ENAMORADA?

—Esta noche —digo con una sonrisa amable— el objetivo es recaudar fondos para una causa maravillosa y, naturalmente, estoy muy encantada de centrarme únicamente en esto durante los próximos noventa minutos.

Debería haberme puesto menos iluminador.

—¡Faith! ¡Faith! ¿Qué...?

Con una sonrisa dulce pero fría —«Esta conversación se ha acabado»—, atravieso la multitud, paso junto al portero, que me hace una reverencia, atravieso las puertas giratorias de cristal y entro en la recepción dorada y con suelo de mármol, paredes de roble, ramos de rosas y techos tallados.

Los famosos ricos están merodeando por el vestíbulo. Elegantes y brillantes, con esmóquines y vestidos de gala, murmurando educadamente como palomas, girando la cabeza para ver quién más está en la estancia, por si hubiera alguien con más influencia o más atractivo con quien deberían hablar.´

Tengo unas ganas inmensas de echarles kétchup por encima a todos. O mostaza, para que les pique.

—¡Effie! —Una de las amigas con más categoría de mi madre cruza la sala con un abrigo largo de piel de zorro y coge mi mano entre sus garras—. Ay, ¡querida! ¡Cada minuto que pasa estás más guapa! ¡Fíjate cuánto te ha crecido el pelo!

Me hace gracia que no sea capaz de diferenciar entre el cabello de verdad y el de mentira, teniendo en cuenta el abrigo que lleva.

—Eres muy amable. —Sonrío.

—Dime. —La mujer se inclina hacia delante, como si fuera a olisquearme las clavículas—. ¿Cómo está tu querida madre?

Desmoronándose estupendamente, muchas gracias.

—Muy bien, gracias.

—¡Faith! —Aparece un productor enderezándose la corbata—. ¡Eres todo un regalo para la vista! ¿Qué edad tienes ya?

—¡Dieciséis! —«Por lo menos treinta años menos que tú.»

—Oh, por favooooor. Y..., eh..., ¿por dónde anda tu padre? ¿Sigue en Hollywood preparando su próxima obra maestra?

—Ahora mismo se encuentra en Londres. —«Da un paso más y te matará con sus propias manos»—. De hecho, es probable que aparezca por aquí esta noche. —«No lo creo. Odia este tipo de eventos.»

—¡Pues nada! A ver si me pongo al día con él pronto.

Empieza a sonarme el teléfono:

TÍO RARO: NO CONTESTAR

Cuelgo; pero vuelve a sonar.

TÍO RARO: NO CONTESTAR

—¿EFFIE? —Una voz familiar y poco bienvenida me grita desde el otro lado de la sala—. ¡DEBERÍAS HABERME DEVUELTO LA LLAMADA! ¡PODRÍAMOS HABER HECHO UNA GRAN ENTRADA JUNTOS!

Dylan está atravesando la multitud a empujones, agitando su teléfono en el aire.

Por el amor de...

Llevo aquí menos de tres minutos y ya estoy agotada. A lo mejor nadie quiere cambiar de pareja conversacional. A lo mejor simplemente estamos todos intentando no hablar con nadie.

Desesperada, busco entre la gente hasta que encuentro a una rubia platino en la esquina.

—Discúlpenme —digo con serenidad al productor y a la supuesta amiga de mi madre—. Ha sido un placer ponernos al día, pero me temo que tengo que marcharme.

La mujer del abrigo de pelo empieza a cuchichear en cuanto me doy la vuelta.

—La hija de... Sí. Una señorita muy fría, ¿no crees?

—No se parece en nada a su madre, que es un completo...

Es lógico pensar que en una sala llena de actores se sabrían comportar durante unos cuantos segundos.

Mi rango de escucha se corta justo a tiempo.

—¡Querida! —Dame Sylvia Valentine es el centro de atención de un círculo de élite, con un vestido de gala negro brillante de Givenchy y el bastón como si fuera un palo de mayo—. Os presento a mi nieta, Faith Valentine.

Miro por encima del hombro. Dylan mueve la boca: «¿Debería acercarme?».

Alarmada, niego con la cabeza y vuelvo a darle la espalda.

—Dime, Faith —me pregunta una mujer de mediana edad con un vestido de encaje—, ¿qué tal te están yendo las audiciones? Tu abuela me ha dicho que eres una alumna muy dedicada.

—Aunque —interviene una señora más mayor, asintiendo— yo no me preocuparía demasiado por estudiar, querida. ¡Es mucho mejor dormir para estar guapa!

—Sin duda —concuerda un señor aún más mayor—. Protege esa cara bonita a toda costa. La querida Sylvia siempre fue una actriz con personalidad, un talento magnífico, pero nunca la más guapa de la sala. Tú eres más como tu madre, Faith. La protagonista de una película romántica.

—Exacto. —Un hombre con los dientes grises se inclina hacia delante como si yo fuera un trozo de tarta que está pensando en comerse—. ¿Con qué financieros trabajas, Faith? Porque tengo contactos que...

Voy a decir algo, pero...

—Si no les importa —dice suavemente mi abuela—, esta querida actriz con personalidad va a tener que sentarse. Mis piernas ya no son lo que eran. Faith, querida, ¿nos vamos?

Me hace un gesto con su pequeña mano pálida para que la siga.

—¿Estás cansada? —pregunto sorprendida cuando llegamos a una esquina—. Porque puedo ir a por una...

—No seas ingenua, querida. A veces me pregunto si has aprendido algo. A ver. —Dame Sylvia se baja las gafas y se me queda mirando—. Entiendo lo que has hecho esta noche, Faith, y te lo agradezco. Tu madre es mi única hija y no quiero, por nada en el mundo, verla aquí.

Suena una campana en el vestíbulo y la gente empieza a salir por una puerta lateral. Una señora con una falda de volantes muy elaborada se acerca apretándose las manos.

—¡Faith! Ay, preciosa, tenemos que llevarte a...

Mi abuela se queda mirándola. Y ella se vuelve a ir.

—Me ofrecí a presentar yo misma este evento —continúa la abuela, poniéndome la peluca derecha con sutileza—. Pero quieren sangre fresca. Con el menor número de posibles coágulos, supongo. Por favor, Faith, no te olvides de que, pase lo que pase, eres una Valentine.

—Sí, abuela.

—Puede que seamos poderosos, pero la gente que hay aquí todavía tiene la capacidad de rompernos.

—Sí, abuela.

—«Los Valentine siempre actúan con clase.»

—Lo que tú digas, abuela.

Nos quedamos mirándonos.

«Uy, ¿lo he dicho en voz alta?»

La abuela levanta las cejas.

—¿Dame Sylvia Valentine? —La mujer con la falda de volantes tose detrás de nosotras—. Lo siento muchísimo, pero necesito preparar a Faith, de verdad. Si puede ir entrando en el salón, por favor, le hemos reservado la mejor mesa

Me paso la lengua por los labios, nerviosa, y me giro hacia mi abuela.

—Gracias.

Ella me coloca una mano en el hombro y lo aprieta.

—Lo que intento decir, querida —culmina con amabilidad y una extraña sonrisa—, es buena suerte. Estoy segura de que nos harás sentir muy orgullosas.

43

«Nos harás sentir muy orgullosas.»

En una habitación aparte, me ponen polvo matificante en la cara, me retocan el pintalabios y me dan un guion sin decirme ni una palabra. Se abre una puerta y un camarero entra para darme una copa de agua con gas que necesito muchísimo. Detrás de él, se escucha el barullo del salón, con risas y conversaciones.

En el escenario hay un micrófono. Me vuelvo a pasar la lengua por los labios y bebo un poco.

«Nos harás sentir muy orgullosas.»

Vuelven a pintarme los labios de rosa.

—¡Damas y caballeros! —Tap—. ¡Silencio, por favor! —Tap—. Bienvenidos a una velada dedicada a la recaudación de fondos para RACA. Por favor, denle una cálida ovación a la glamurosa presentadora de esta noche: ¡la preciosa actriz Faith Valentine!

Todo el mundo aplaude.

Tengo las manos tan sudadas que no puedo abrir bien la puerta; una camarera con la cara sudorosa y con una bandeja en equilibrio me la sujeta y yo le sonrío con agradecimiento. Luego, respirando hondo, me deslizo hasta el escenario y, con cuidado, saco el micrófono del pie.

«Nos harás sentir muy orgullosas.»

Las luces son tan brillantes que me ciegan durante un momento, los aplausos son cada vez más fuertes hasta que se terminan y —así como así— de pronto tengo nueve años: sobre el escenario, vestida con una sábana blanca y la gorra y deportivas de tenis de mi madre.

Trago saliva y miro al público.

Muchas de estas caras estaban allí aquella noche: todos los ricos y famosos reunidos bajo una carpa blanca, brindando por mis padres en su aniversario de bodas. Riéndose cuando Max balanceaba su comba de color mostaza, mientras Hope bailada vestida de turquesa y Mercy captó todas las miradas con su traje rojo.

Hace... años que no veo a estas personas. Casi dos, para ser exactos.

«Céntrate, Eff.»

—Buenas noches a todos. —Con una sonrisa comedida, le doy un par de golpecitos al micrófono. Tap, tap—. Soy Faith Valentine. —Echo un vistazo al guion en el iPad que hay sobre el atril—. Es un auténtico placer estar aquí esta noche, rodeada de amigos y familiares. De personas con un talento increíble, unos corazones enormes y unas cuentas corrientes aún más grandes.

Todo el mundo se ríe.

—¡Sí! —grita Dylan desde la parte de atrás—. ¡Esa es mi chica!

Se me está empezando a adaptar la vista a las luces del escenario. Veo a mi abuela en una mesa de la primera fila, con las manos juntas, los labios muy apretados, mirándome con sus fríos ojos grises.

—Estoy encantada de estar aquí —continúo, volviendo a mirar las luces— para ayudar a subastar algunos artículos donados con muchísima generosidad y recaudar fondos para...

Miro rápidamente hacia abajo. «Pero ¿qué narices...?»

—El Complejo para la Ayuda y el Consuelo de los Artistas. —Me aclaro la garganta—. También conocido como...

—Va sin artículo —me susurra una señora desde un lateral del escenario.

—Sí. —Se me abren ligeramente las fosas nasales—. CACA. Una organización benéfica creada para proporcionar un refugio para que aquellos que se dediquen a la interpretación puedan recuperarse del estrés de sus complejos trabajos.

«Esto no puede ser verdad.»

—Creo que todos estamos de acuerdo —Miro otra vez el iPad y doy un sorbo al vaso de agua que hay justo al lado— en que trabajamos en un sector agotador. Dedicamos nuestras vidas a perseguir la verdad. El arte. A la exploración de lo que supone ser humano. A menudo, bajo circunstancias complicadas, a expensas de nuestra propia salud.

Miro a mi abuela. «Nos harás sentir muy orgullosas.»

Y, de repente, no puedo seguir.

Es que... no.

—Porque, seamos sinceros. —Me inclino hacia delante y me apoyo con los codos en el atril—. Nadie necesita tiempo de ocio tanto como aquellos que juegan con disfraces para ganarse la vida, ¿verdad? —Pretendo que hago una pausa pensativa—. Bueno, nadie excepto enfermeros. Médicos. Bomberos. Profesores. Policías. Fontaneros. Electricistas. Taxistas. Limpiadores. Camareros.

La chica que lleva la bandeja me mira.

Y, como si nada, siento un impulso de rabia incontrolable de la cabeza a los pies.

«Uuuf.»

—Vamos a empezar, ¿no? —Hago desaparecer el guion y hago clic en el iPad para que aparezca el primer lote. Estoy ardiendo de rabia mientras cojo el mazo en miniatura—. A ver qué sacrificamos nosotros, los multimillonarios, para recaudar fondos para nosotros mismos, ¿no?

Una foto de una playa tropical brilla en la gigantesca pantalla detrás de mí.

—¡Anda! —Me río—. Unas vacaciones de lujo en un resort de cinco estrellas para aquellos que fingen ser enfermeros en lugar de para los enfermeros de verdad. Empiezo la subasta por dos libras con cincuenta. ¿Alguien da más?

La estancia se queda completamente en silencio.

—Usted, caballero. —Señalo a un camarero que está limpiando una salpicadura de vino tinto con un paño y doy un golpe con el mazo—. Vendido. Enhorabuena, se va a las Bahamas.

Él vuelca la botella de vino.

Sonriendo de oreja a oreja, vuelvo a hacer clic en el iPad y miro hacia atrás.

—¡Ah! Maravilloso. Un Porsche 911 3.8 Carrera verde, que es uno de los catorce coches que ahora mismo están en un garaje y que lo venden para librarse de los impuestos.

Estudio con detenimiento al público.

—¡Tres libras! —Anuncio al micrófono—. Tres libras por esta maravillosa pieza de metal que cuesta más que la entrada de una casa. ¿Alguien? La camarera de las gambas, me voy a tomar eso como una puja. —¡Pum!—. ¡Vendido por tres libras!

La chica deja caer la bandeja con un estruendo enorme.

—¿Qué viene ahora? —Hago clic en la pantalla—. Un cuadro deprimente de una rubia muerta en un barco. ¿Cinco pavos? —El productor ha levantado la mano nervioso—. ¿Nadie? ¿No? ¿Y un pavo? ¿Alguien se puede permitir pagar un pavo por una obra maestra viejuna?

Se abre la puerta de la cocina.

—Usted. —Agito el mazo en el aire cuando un señor mayor con una camisa blanca y un pantalón negro entra con una bandeja de copas de champán—. Me temo que esa interrupción cuenta como puja. Enhorabuena, ahora es el propietario de una obra de arte muy valiosa.

—¿Co... cómo? —Se sienta de golpe en una silla libre y se pone las manos en la cara—. Ay, mi madre.

Todo el salón empieza a cuchichear. Se giran despacio para mirar a los camareros —que les sirven, que limpian lo que ellos ensucian— como si nunca hubieran visto a un camarero en sus vidas.

—¡No puedes hacer eso! —Un actor maduro se pone de pie—. Ese es mi Porsche, maldita...

Las cámaras disparan como locas.

—Siéntese, caballero, por favor. —Le sonrío mientras mi rabia va en aumento—. Agradecemos mucho su crisis de la mediana edad, pero ¡estamos a punto de llegar a los diez pavos! Aunque creo que vamos a ir terminando, mejor. Cinco peniques por cada artículo que queda en el lote. —¡Pum!—. Tío de las salchichas, te llevas un collar de diamantes de Tiffany's. —¡Pum!—. Tío que limpia la mesa seis, te acabas de llevar un yate. —¡Pum!—. ¡Un ordenador portátil completamente nuevo para la chica de los pasteles! —¡Pum!—. Chica que está barriendo en la esquina: lo siento mucho, acabas de ganar una cena con este idiota.

Detrás de mí, brilla una foto enorme de Dylan.

—¡Faith! —Salta hecho una furia—. ¡Deberías ser tú la que pujase por eso! ¡Podrías haber hecho el gran gesto romántico de comprarme, como pasa en las películas!

—Oferta de última hora, la cena es gratis —digo volviéndome hacia la joven limpiadora—. Lo siento. No dudes en pedir langosta.

Ella parece entusiasmada y saluda a Dylan. Él se deja caer en su silla con los brazos cruzados.

—¡Y eso es todo, amigos! —Miro alrededor del salón, que ha estallado en un completo caos. Tap, tap, tap—. También me gustaría dar las gracias en nombre de toda la familia Valentine. Ha sido increíble la forma en la que nos habéis dado la espalda durante estos dos últimos años.

Sonrío con encanto a todo el mundo.

—Sobre todo a aquellos que ignoraron a mi madre cuando os necesitaba más que nunca. Fue vuestra amiga, vuestra coprotagonista y vuestra mentora durante treinta y cinco años. Vuestro comportamiento ha sido para enmarcar.

Durante un segundo, miro a mi abuela y siento mucha vergüenza. Está rígida, blanca y parece muy muy vieja de repente.

—¿Habéis escuchado hablar de la tortita que estaba frita? —Pregunto gritando a la audiencia—. ¡SE DIO LA VUELTA!

Se hace un silencio total mientras a mí me entra una risa histérica.

—¡Por nosotros, incluida yo! —Levanto la copa de agua con gas y hago como que brindo con todo el mundo, para que salpique—. Somos oficialmente una buena panda de RACAs.

Luego tiro el mazo al suelo.

Pum.

44

¿En qué es fácil meterse, pero difícil salir?

En problemas.

Me bajo del escenario sin detenerme.

Con la cabeza bien alta, sigo andando: salgo por la puerta de atrás del Dorchester y paseo por Londres. Rodeo Hyde Park Corner, paso por el palacio de Buckingham, por la catedral de Westminster, por un Tesco Express y por la embajada de Lituania; cruzo el puente Vauxhall y el Támesis; paso por Stockwell, por un Lidl y por la Academia O2.

Dos horas de paseo en la oscuridad de las calles alumbradas únicamente por las farolas. Quince minutos con unos dolorosísimos tacones de Prada —el resto, cojeando con un tobillo torcido y los pies descalzos por la asquerosa acera—. Y, no voy a mentir: apenas noto el dolor.

Estoy. Vibrando.

Bzzz bzzz bzzz. Bzzz. Bzzz. Bzzzzzzzzz bzzzzzz bzzz. Bzzzzzzzzzzzzzzzzzzzzzzzzzzzzzzzzzzzz...

Eso es un telefonillo, no soy yo. Yo estaba hablando metafóricamente.

—Joder, qué agresiva eres llamando. Pasa, quien quiera que seas. Planta cincuenta y cuatro. El ascensor está roto.

La puerta se cierra.

Miro hacia abajo: tengo el tobillo izquierdo visiblemente inflamado y los dos pies grises y cubiertos de ampollas. Tengo un corte en la planta del pie derecho que va dejando una pequeña mancha de sangre a cada paso que doy.

Miro las escaleras de cemento. «Cincuenta y cuatro pisos.» «Genial.»

Dando respingos, empiezo a subir cojeando. «Primera planta. Segunda...»

Au.

«Tercera.»

En serio: au.

«Cuarta...»

Me froto el tobillo hinchado apoyándome en la pared. Una de las ampollas rellenas de pus explota entre mis dedos. Seguro que Marilyn Monroe tuvo el mismo problema.

Sigo cojeando. «Quinta...»

—¿Faith? —Una voz divertida sube desde abajo—. ¿Dónde vas, Loca Academia de Policía? Y ¿por qué vas dejando un rastro de sangre por el pasillo como un caracol con la regla?

Miro hacia abajo. La cara pecosa y élfica de Scarlett está asomada por la barandilla e inclinada hacia mí, con las cejas muy levantadas.

—¿No habías dicho que había cincuenta y cuatro plantas?

—No, tía, era una broma. —Se ríe como una cerdita—. Estamos en Brixton, no en Dubái.

Miro hacia arriba. «Aaaaaah.» Me sonrojaría de vergüenza, pero la mayoría de mi sangre se ha quedado en las escaleras.

Con una mueca, vuelvo a cojear hasta la cuarta planta y entro al piso de Scarlett.

—¿Quieres unos tacones de Prada? —le pregunto, quitándome la peluca y tirándome en el suelo enmoquetado, ofreciéndole los zapatos del horror—. No te los recomiendo para ir a hacer senderismo.

Scarlett los levanta hacia la luz y luego los tira a un lado.

—No, gracias. ¿Y este chucho? —Golpea la peluca con un pie—. No hay nada que hacer, creo que está muerto.

—¡Por fin! Lleva toda la noche mordisqueándome la cabeza.

Nos reímos.

Luego Scarlett se desliza por la pared del salón hasta que se sienta en silencio a mi lado en el suelo. Esta noche ha habido cientos de personas mirándome —a la entrada del hotel, en la subasta, mientras cojeaba descalza por Westminster—, pero esta ha sido la primera vez que he sentido que alguien me ve de verdad.

—Venga, anda —dice mi amiga mientras me coloca con cariño su jersey sobre los pies magullados—, antes de que te desmayes por la pérdida de sangre. Cuéntamelo todo, desde el principio.

Yo me aclaro la garganta, respiro hondo y dejo que vuelva a mí todo lo que ha pasado desde esta mañana.

—Pues... he tenido otra crisis. Una muy grande. He... perdido los nervios en mitad de una clase de improvisación. Delante de todos. Me... dejé llevar.

—¿Cómo que te dejaste llevar?

—Agarré a un chico que apenas conozco del cuello, lo zarandeé por toda la estancia, lo golpeé repetidas veces contra la pared, le grité como una loca y rompí a llorar como una histérica.

Scarlett suelta una carcajada.

—Parece que fue él el que se dejó llevar, Eff. —Me da un golpecito con el codo—. ¿Es demasiado pronto para hacer

253

bromas? Sí, eso creo. Sigue, por favor. ¿Qué ejercicio estabais haciendo?

—Una escena... de improvisación, sin más.

Demasiado pronto. Y demasiado real.

—Faith. —Scarlett frunce el ceño—. ¿Eres consciente de que todo el mundo sufre crisis en las clases de interpretación? De eso se trata. Es por lo que te van a pagar. No puedes agitar una botella de emociones humanas muy intensas y pretender que no explote.

—¿En serio? —pregunto con los ojos muy abiertos.

—Claro, tía. Cuando yo estaba en la escuela de arte dramático, alguien lloraba, gritaba o vomitaba cada día, y estaban encantadísimos. Eso significaba que estábamos haciendo bien nuestro trabajo.

«Anda.»

—Entonces... ¿no estoy loca?

—Por supuesto que estás loca. Eres actriz. —Scarlett me dedica su sonrisa del Joker—. Eff, ¡esto son grandísimas noticias! ¡Sabía que podías hacerlo! Verás como dentro de nada eres toda una estrella de cine. ¡Enhorabuena! Y ¿qué más ha pasado hoy? —pregunta mirando fijamente mis pies descalzos.

Se me hace un nudo en el estómago y empiezo a sentir náuseas.

Abro la boca. Se me está pasando el subidón de adrenalina —junto con el entumecimiento de los pies— y empieza a golpearme del tirón todo lo que he hecho esta noche.

La cara de horror de la abuela.

Los actores.

La indignación.

Una zambullida directa y dramática en el olvido.

No creo que se merecieran ese ataque. La mayoría del público ni siquiera conocía personalmente a mi madre. Simplemente estaban ahí porque alguien se lo había mandado.

La vergüenza, la culpa y el miedo me sacuden el estómago.

«Nos harás sentir muy orgullosas.»

—Nada —digo incómoda, envolviéndome en el vestido blanco-sucio de vuelo—. Eso ha sido todo.

—¿Seguro?

—Ajá.

—Entonces... —Scarlett frunce el ceño—. ¿No has regalado Porsches, ni diamantes, ni vacaciones ni cuadros valiosísimos? Porque, sinceramente, sería muy decepcionante.

Me quedo mirándola.

—Está en internet, por todas partes. —Se ríe muy fuerte mientras me enseña su teléfono—. A veces creo que se te olvida quién eres.

FAITH VALENTINE
SE MARCA UN ROBIN HOOD

—¡Dios! —Me llevo las manos a la boca—. ¿Soy una ladrona?

—Por supuesto. —Scarlett desliza la pantalla—. La más famosa del mundo. Toma, léelo.

Examino detenidamente el artículo con la frente arrugada.

Esta noche, Faith Valentine —nieta de la estimada actriz Dame Sylvia Valentine—, ha regalado las donaciones valoradas en más de 2,8 millones de libras a los trabajadores de una subasta en el Dorchester. «Llegué allí con 32 libras en mi cuenta y he salido con un yate —cuenta Tim McConnell, camarero de 61 años—. Todavía no sé muy bien qué decir.» Tras la ovación del público, algunos miembros

muy destacados de la industria han mostrado su apoyo a la postura política adoptada por Faith. «Ya era hora», tuiteó un importante actor. «Repartid vuestras riquezas. Faith es una inspiración. Cambiadle el nombre por: Redistribución y Sociedad de Apoyo de los Actores y donaré ahora mismo.»

La prometedora actriz, que también regaló un collar con un diamante de Tiffany's, un cuadro valiosísimo, unas vacaciones de lujo y un Porsche 911, desapareció inmediatamente tras el evento. Su abuela, también presente, tampoco se encontraba disponible para hacer ningún comentario.

Un portavoz oficial de RACA dijo: «EL ARTÍCULO ES MUDO».

—A lo mejor deberías tener crisis más a menudo, Valentine. —Scarlett sonríe y me empiezan a escocer los ojos cuando me doy cuenta de una expresión inesperada en su cara.

Empieza a sonarme el teléfono.

—¿Scarlett? —Cuelgo la llamada sin mirar y frunzo el ceño. Percibo en sus ojos una tristeza que no había visto antes, la mandíbula cansada y un temblor en el labio superior—. Cuéntamelo todo, desde el principio. Antes de que me dé una sepsis.

Ella se ríe y se desinfla lentamente.

—Pues... Me han ofrecido el papel Éponine en la gira estadounidense de *Los Miserables*.

Me quedo sin respiración.

—NO. —Me he puesto de pie—. NO, Letty. ¡Venga ya! Es... ¡HASTA YO SÉ QUÉ PAPEL ES Y NO TENGO NI IDEA DE MUSICALES! ¡LO HAS CONSEGUIDO!

¿Desde cuándo soy capaz de chillar de esta manera?

—¡Tenemos una casa en Nueva York! —Me pongo a saltar mientras mi teléfono vuelve a sonar—. ¡Te puedes quedar allí! ¡Y puedo ir a verte! Y podemos ir a ver obras de Broadway, y girarás por Boston y Colorado y Chicago, donde hacen la mejor pizza al estilo Chicago, obviamente; y... y...

Scarlett rompe a llorar escandalosamente.

—¡Ay, Scarlett! —Me vuelvo a sentar a su lado, un poco asustada—. ¡No te pongas nerviosa! ¡Estados Unidos es superguay y lo vas a hacer genial! ¡Estás hecha para este papel!

—¡Ya lo séééééééé! —le grita al aire—. ¡Llevo desde los tres años cantando *On my own* con una botella de champú y restregándome barro en la cara! Es mi papel. Mío.

—¿Entonces...?

—¡Que no puedo aceptarlo! —Le entra hipo y se seca los ojos—. Empiezo a rodar *Quincena de terror* en Islandia la semana que viene y tengo contrato de seis meses. Me podrían denunciar.

Mi teléfono suena por tercera vez. Vuelvo a colgar.

—Pero, no puedes... —La cabeza no para de darme vueltas—. Tiene que haber alguna forma en la que...

—No. No la hay. Se han arriesgado mucho al contratar a una actriz desconocida para un papel tan importante. No puedo dejarlos colgados a última hora. Ya lo sabes, Eff.

Nos quedamos las dos mirando embobadas a la nada.

Quiero hacerla sentir mejor de alguna forma, pero tiene razón: echarse atrás ahora mismo sería un suicidio profesional.

Mi teléfono suena otra vez más.

Noah

Miro cómo brilla la cara de mi novio durante unos segundos. Parece que él también ha leído la prensa.

—Bueeeeeeeeeeeeeeeeno. —Scarlett se seca la cara y me

sonríe—. ¿Vas a contestar o me voy a tener que volver a sentar encima de él?

Me muerdo el labio con culpabilidad.

—Voy a contestar. Puede. No lo sé. Le pedí tiempo, pero... —Se me acelera cada vez más la respiración y se me estrecha la garganta—. Tengo que tomar una decisión. Lo sé. Ha esperado mucho. Pero es que no... No estoy...

¿Dónde narices están mis deportivas cuando las necesito?

La llamada se corta y la luz azul empieza a parpadear. Mi amiga me quita despacio el teléfono de las manos, lo deja en el suelo y se levanta.

—Antes de que decidas nada, tengo que enseñarte una cosa.

45

¿Por qué a los esqueletos no les gustan los días de lluvia?

Porque se calan hasta los huesos.

Eh... ¿ahora es el momento de ponerse a limpiar?

Me quedo mirándola mientras Scarlett empieza a ordenar el apartamento: empuja el sofá cama hasta la pared, agarra la mesita de café por ambos lados y la quita de en medio. Enrolla la alfombra y la apoya contra la puerta, cambia de sitio algunos cojines y pone la planta de yuca en una esquina.

Cada vez más confundida, miro cómo deja libre mucho espacio en el salón. Pensaba que Scarlett disfrutaba con el desorden... ¿Quiere que nos peleemos?

Cuando la estancia está casi vacía, empieza a andar de un lado a otro, cogiendo objetos pequeños: el mando a distancia de la televisión, un tacón dorado de Prada, la peluca, una taza de té frío, una vela medio derretida, una fotografía enmarcada, el libro de interpretación de Stanislavski, un cactus pequeñito, un robot de juguete amarillo.

—Vale. —Casi sin respiración, pone una cacerola en el

suelo y se peina el flequillo hacia atrás—. Ponte en el centro, Valentine, por favor.

La miro y luego contemplo la forma que ha hecho en el suelo.

Vale que Scarlett Bell probablemente sea mi mejor amiga y que creo que es la mejor, etc., etc., pero estas son las típicas cosas que hacen las sectas que adoran a Satán antes de sacrificarte.

—¿Ahí? —digo, poniéndome de pie despacio.

—Es un círculo, Eff. —Se ríe—. Geométricamente, solo hay un centro. Quédate ahí para este ejercicio, por favor.

Obediente, entro en el círculo y me siento en el medio.

—¿Tengo que aislarme de todo el mundo? —Miro preocupada el libro de interpretación—. Porque he de decirte que mi abuela ya ha intentado enseñarme esa técnica varias veces y no se me da muy...

—¡Que le den a Stanislavski! Quédate sentada.

Scarlett desaparece en la cocina y vuelve con un paquete de barritas Mars, unas galletas de jengibre, cereales y un cuenco enorme de grajeas de sabores. Luego se sube encima de una silla y empieza a comérselo todo haciendo mucho ruido.

Me ruge el estómago; dos crisis mentales públicas, ningún canapé y un largo paseo descalza por Londres te despiertan bastante el apetito.

—Letty, ¿me das un...?

—No —dice—. Cállate, por favor.

Vale, ya entiendo. Va a prohibirme comer azúcar hasta que diga lo correcto.

—¿Cuánto tiempo tengo que...? ¡AY!

Una grajea de lima me acaba de dar en la cara.

—Uy —dice Scarlett, metiéndose una galleta en la boca—. Ha sido sin querer. Perdón.

Con otro movimiento deliberado de muñeca, otra grajea de naranja vuela hacia mi cabeza y rebota.

—¡Oye! —Me quedo mirándola fijamente—. ¿Qué estás haciendo?

—Nada.

Esta vez, me lanza una barrita de Mars y me da en la nariz.

—¡Scarlett! —Me pongo de pie de un salto—. No sé muy bien qué está pasando ni a qué clase de juego estamos jugando, pero...

Una galleta de jengibre me golpea en el estómago.

—Por Dios. —Unos cuantos cereales—. ¿Puedes parar de lanzarme cosas? Sé que te gusta tirarle comida a la gente, pero...

—¿Cuál es el problema? —Scarlett frunce el ceño y me lanza otra grajea—. La última vez lo hiciste conmigo.

—Sí, pero...

Mirándome fijamente a los ojos, le da una patada a la planta de yuca. Luego pisa el robot de juguete, golpea la taza de té, que se derrama por todas partes, y estampa el mando de la tele contra la pared. Se pone a golpearlo todo con brutalidad. Sonriendo, salta sobre la planta, que está volcada en el suelo.

Con la cara como la del Joker, empieza a caminar despacio hacia mí. El corazón se me acelera. La garganta se me cierra. Me pica todo y tengo mucho calor. Sea lo que sea este estúpido jueguecito, no me gusta.

—Letty...

Mi amiga me golpea con un dedo.

—¿Sí?

—Por favor, deja de darme.

—No te estoy dando —dice, dándome otra vez.

—Sí, y te estoy pidiendo que pares, por favor.

—Pues tengo una noticia para ti. —Golpecito—. Este es mi salón. —Golpecito—. Es mi dedo. —Golpecito—. Y me apetece darte con él en la cara. —Golpecito—. Así que es lo que voy a hacer.

Tengo un nudo en la garganta y ganas de llorar. «No llores, no llores, no llores, no llores...»

Pero, instintivamente, salgo corriendo.

—Huyendo otra vez, ¿eh? —Scarlett me agarra por la muñeca y tira de mí hasta ponerme de nuevo en el medio del círculo—. Pues no te voy a dejar. Así que, ¿qué vas a hacer al respecto, Valentine?

Ahora mismo no noto ese «ufff» de alivio. Noto un cuchillo frío.

Una rabia intensa me recorre todo el cuerpo, tan afilada que podría cogerla y cortar en dos esta habitación. Con la mandíbula apretada, me suelto de Scarlett.

Me aparto de ella y empiezo a recoger con furia todos los artículos que hay en el suelo: la taza de té, la planta, el mando a distancia, el robot de juguete roto, la peluca, la vela, el zapato dorado. Y agarro algunas cosas más: cojines, un ordenador portátil, un bolso.

Luego, ardiendo de rabia, me voy a la otra parte de la habitación y empiezo a colocarlos en el suelo, a mi alrededor.

Scarlett se acerca.

—¡NO! —grito, poniéndome de pie.

—¿Perdona? —Levanta las cejas.

—¡TE HE DICHO QUE NO! —Saco las manos como un ninja, temblando de ira—. No me gusta que me tiren cosas. No me gusta que me digan que me calle. No me gusta que me den golpecitos. No me gusta que me empujen o que me agarren. Te he pedido que pares, pero no lo has hecho. ¡Así que APÁRTATE DE MI CÍRCULO!

Con dificultad para respirar, recojo una grajea roja del suelo y me la meto en la boca.

—¡MMMMMM! —digo, masticando con chulería—. ¡QUÉ RICA!

Tiene pelusa de la alfombra, pero me la trago igual.

Nos quedamos mirándonos.

«Venga.» Levanto la barbilla y aprieto la mandíbula. «Venga. Pégame. PÉGAME, SCARLETT. FÁLTAME AL RESPETO UNA VEZ MÁS, A VER QUÉ PASA.»

Con una carcajada de satisfacción, empieza a aplaudirme despacio.

—¡Eso es! —Se acerca a mí y se queda de pie en el borde de mi pequeño círculo. Vuelve a tener una expresión suave, la del Joker ha desaparecido—. No se trata de fingir que no hay nada fuera del círculo, Eff. Se trata de crear tu propio círculo y decidir qué dejas entrar y qué no.

Scarlett se agacha y recoge el robot roto.

—Tienes derecho a pedir lo que tú quieras. Tienes derecho a decir «basta» y «no». Se llama «poner límites». No paras de volverte loca porque no has marcado ninguno, por eso todo el mundo te presiona y tira de ti, hasta que explotas o sales corriendo.

Abro la boca, pero no digo nada.

—Es tu vida, Faith. —Scarlett me coloca despacio el robot en la mano—. Eso quiere decir que eres tú la que establece las reglas.

En mi bolsillo, mi teléfono ha empezado a sonar otra vez y lo cojo automáticamente. Tengo la cabeza a punto de estallar.

—¿Faith? —Escucho a Persephone entrecortada—. ¿Dónde estás?

—En casa de una amiga —susurro.

—Dime la ubicación exacta, por favor. Va a ir un coche a por ti. Tienes que volver inmediatamente.

263

46

«Tienes derecho a pedir lo que tú quieras.»

—...podrías haber hecho mucho daño, Faith. Tienes que hablar conmigo antes de...

«Tienes derecho a decir "basta" y "no".»

—...ha tenido muchísimo impacto entre los compañeros y el público. Todo el mundo apoya...

«Se llama "poner límites".»

—...por este pronto nuevo e inesperado. Ya no eres la chica guapa...

«No paras de volverte loca porque no has marcado ninguno.»

—...en términos de relaciones públicas, te has marcado un giro de ciento ochenta...

«Por eso todo el mundo te presiona y tira de ti.»

—...te llueven las ofertas, puedes elegir el papel que quieras...

«Hasta que explotas o sales corriendo.»

—...hacer del mundo tu ostra.

—¿Sabes de dónde viene esa frase? —Luego pongo el móvil en manos libres y me lo coloco sobre las rodillas. Me quedo mirando embobada la oscuridad por la ventanilla del taxi. Es de *Las alegres comadres de Windsor*, de Shakespeare. La vi seis veces cuando mamá hacía de Falstaff en una producción únicamente de mujeres.

Es lo primero que he dicho en todo el trayecto.

—¡Claro! —Persephone suena muchísimo más entusiasta de lo normal—. ¡Es verdad! Es...

—¿Sabes lo que significa? —El taxi dobla una esquina—. Quiere decir que te esfuerzas por abrir la vida con un cuchillo y, aun así, hay muy pocas probabilidades de encontrar una perla.

—Qué interesante...

—Pero utilizamos esa expresión para todo, como si significara que podemos conseguir lo que queramos cuando queramos. Y no es cierto.

—Eso es muy...

El taxi se detiene frente a las puertas de la mansión Valentine.

—Perdona, pero te tengo que dejar —digo, colgando la llamada.

Hay más *paparazzi* de los que he visto en mi vida. Docenas y docenas, apelotonados en la oscuridad. En cuando ven el taxi, empiezan a gritar, a mover los brazos, a sacar fotos.

Flash, flash, flash, flash, flash.

Trago saliva.

—¿Señorita Valentine? —El taxista me mira por el espejo retrovisor—. ¿Quiere que la lleve a cualquier otra parte? —*Flash, flash, flash*—. Literalmente, a cualquier otra parte.

—No pasa nada, gracias. —Con las manos temblando, me aliso el vestido—. Lo tengo bajo control.

Saco el brazo por la ventana —*flash*—, tecleo el código de seguridad de la puerta y, con un clic, se abre.

Los *paparazzi* se mueven en manada y pasan rodeando el taxi, que sube por el sendero con todos ellos corriendo a nuestro lado. Están gritando, golpeando las puertas del coche, corriendo hacia los adornados escalones de la entrada de mi casa.

Nos detenemos y yo respiro hondo, despacio. Luego abro la puerta del taxi y salgo, sujetando el robot roto muy fuerte con una mano cerrada.

«Eres tú la que establece las reglas.»

—¡FAITH! ¡FAITH! RACA HA AMENAZADO CON TOMAR ACCIONES LEGALES, ¿TIENES ALGO QUE DECIR?

—¿HAS HABLADO CON DAME SYLVIA?

—¿HA SIDO UNA ACCIÓN POLÍTICA? ¿CUÁNTO TIEMPO HAS ESTADO PLANEÁNDOLO?

—¿TE HA AYUDADO DYLAN HARRIS?

Camino despacio descalza entre los *paparazzi*, con mi vestido de gala de vuelo, hasta que llego al escalón de arriba. Luego me giro para mirarlos.

—¿O VAS A SUFRIR UNA CRISIS MENTAL COMO TU MADRE? —me llega un grito de gran ayuda.

Todos se quedan en silencio mientras busco mis propias palabras. Porque esta vez no hay guion ni respuestas preaprobadas. Esta vez no me van a susurrar ni a chivarme qué tengo que decir, no van a hablar por mí y no pienso seguir con la boca cerrada.

Mi voz es mía. Y ya va siendo hora de que la use.

—Hola —digo con la voz muy clara—, soy Faith Valentine. —*Flash, flash, flash, flash*—. Me presento porque no nos conocemos. Y, aun así, aquí estáis, delante de mi casa.

Miro fijamente la masa de caras desconocidas.

—Seguramente, a todos los presentes os hayan roto alguna vez el corazón —digo, despacio—. Todos hemos llorado, reído y nos hemos asustado o hemos sido infelices. Todos hemos dicho algo que no debíamos, nos hemos puesto algo que no nos favorecía o hemos salido con la gente equivocada.

Mis ojos recorren la multitud.

Y se detienen un instante en bloguero de T-Zone, con el que hablé en el parque Richmond, de pie, al fondo, con el teléfono en el aire. Me saluda emocionado y yo le sonrío levemente.

—Pero ¿cuántos de vosotros habéis visto vuestro momento más preciado o el más humillante convertidos en entretenimiento para desconocidos?

Silencio.

El bloguero mira al suelo.

Me elevo todo lo que puedo.

—Todos los días, desde hace prácticamente un año, me han perseguido, juzgado, criticado, cuestionado y expuesto. Habéis hablado de mi cuerpo y habéis evaluado mi cara. Os habéis reído de mi personalidad y de mi vida amorosa. Me habéis insultado y me habéis tomado fotos sin permiso. Me habéis puesto en un pedestal y luego me habéis tirado de él.

Algunos periodistas más mayores se remueven, incómodos, y veo cómo el bloguero del parque apaga el teléfono y se lo mete en el bolsillo.

—Tengo dieciséis años y me tratáis como una muñeca sobre la que podéis pelearos hasta que me termináis rompiendo. Y, en ese momento, me tiráis a la basura y buscáis a otra chica que brille como nueva.

Pienso en mi madre, tumbada en su habitación oscura. Ya no brilla. Ya no es nueva.

—Pero... —Un periodista levanta su grabadora—. Faith, está claro que la fama con la que has nacido, los privilegios, hay que...

—¿Pagarlos? —Levanto las cejas—. ¿Por una vida que yo ni he elegido, ni he pedido? Sois vosotros quienes decidís quién soy antes de que yo pueda ni pensarlo.

Ya sé que soy tremendamente afortunada por tener una vida extraordinaria de oportunidades y fortuna. Pero no puedo hacer del mundo mi ostra.

Y, ahora mismo, es a mí a quien están abriendo, a quien le están arrancando la perla y vendiéndola sin mi permiso, una y otra vez. ¡Mira lo que hemos encontrado! ¿Nos gusta? ¿Cuánto podríamos conseguir por ella? ¿Ha merecido la pena? ¿Deberíamos seguir buscando una nueva? ¡Ey, mirad todos!

A lo mejor la ostra quería quedarse encerrada. A lo mejor solo quería mantener su tesoro en secreto y que todo el mundo se fuera y la dejara en paz de una puñetera vez.

—Nada de esto es real. —Me señalo—. Ni mis publicaciones en las redes sociales. Ni las citas inspiradoras. Ni las entrevistas. Ni la ropa que llevo o la gente con la que salgo o los lugares a los que voy. No tenéis ni idea de quién es Faith Valentine.

La puerta detrás de mí se abre y aparece una mano muy grande.

«Rápido, rápido, rápido...»

—Así que os pido, por favor, que...

Con un movimiento brusco, me meten dentro de la casa.

47

—PARA.

—Sí, claro —dice Max arrastrándome hasta el salón y tirándome sobre un sillón—. Basta ya, señorita Peleona Buscafollones. No me hagas soltar a los perros imaginarios.

Enfurecida, le doy una patada y lo muerdo.

—¡Ay! —mi hermano grita mientras se sienta encima de mí—. Eff, ¿me acabas de morder? Vaya, esto es nuevo. Estoy impresionado y, probablemente, infectado.

—Quítate de encima. —Le doy un puñetazo—. ¿Qué estás haciendo?

—Esto es una interacción —explica Hope solemne, sentándose sobre mis pies con los ojos muy abiertos—. Estamos interaccionándote, Faith Valentine.

—Una intervención —Max la corrige poniéndose de pie.

—Eso también. —Mi hermana pequeña asiente—. Lo que va a pasar es que vamos a ventilarte, Eff, y luego tú puedes ventilarnos a nosotros. —Se queda pensando con el ceño fruncido—. No, espera, ¿ventilar o interventilar? No lo entiendo, alguien debería aclararlo.

Me quedo mirando sorprendida a mi hermano y a mi

hermana, y luego miro a Mercy, que está de pie en silencio junto a la chimenea, jugueteando con una vela.

Resoplo con frustración. ¿En serio van a hacer esto ahora?

—Decidme que estáis de coña. No necesito una int...

—Claro que sí. —Mercy se gira y me mira los pies sucios—. ¿Dónde están tus zapatos? ¿Y tu pelo? Faith, esto no es propio de ti. ¿Ahora revientas espejos? ¿Te peleas por Twitter? ¿Le echas la bronca a la prensa en la puerta de casa? ¿Das puñetazos, gritas, muerdes? Nada de esto es típico de ti.

—Sabemos que tienes el corazón roto —dice Po con dulzura, acariciándome las rodillas—. No me puedo ni imaginar cómo debe de ser perder a Noah, tu alma gemela, la persona en la que has confiado por encima de todos los demás...

Abro la boca y Mercy exhala con fuerza.

—¡Para! —Hope se gira hacia ella, furiosa—. ¡Déjalo ya, Mer! Que tú tengas el corazón marchito y vacío y negro no quiere decir que los demás no puedan sufrir.

Nuestra hermana hace una mueca y se queda mirando al suelo.

—No se trata de... —empiezo a decir.

—Tiene razón —me corta Max frunciendo el ceño—. No has sido tú misma desde aquel beso, Eff. Te echamos de menos. Solo queremos que vuelva la dulce Faith a la que conocemos.

—Yo...

—Estamos aquí para ti, Eff. —Po me coge de la mano—. Sea lo que sea lo que necesites para volver a ser feliz, lo haremos. Solo dinos cómo arreglarte.

Me aprieta los dedos y todos se quedan mirándome fijamente.

Silencio.

—¿Me dejáis hablar ya? —digo, poniéndome de pie. Mis hermanos abren la boca—. Ay, no. Que todavía no habéis terminado. Por favor, continuad. ¿Alguno quiere volver a sentarse encima de mí o ahora solo vais a echarme la charla?

Cierran la boca.

El corazón empieza a latirme muy rápido. Me cuesta respirar, como si llevara mucho tiempo corriendo. A lo mejor es así.

—No lo entendéis, ¿verdad? —les suelto—. Estoy harta de ser la persona que vosotros necesitáis que sea. A veces tengo la sensación de que solo existo para equilibraros a todos. Como si vosotros tuvierais los papeles más decentes y yo fuera una simple secundaria que está aquí de rebote.

Abren cada vez más los ojos.

—¿Creéis que yo quiero ser la guapa? ¿O la buena? ¿O la amable? ¿Sabéis lo aburrido que es eso? Me siento como si no pudiera respirar.

Mi hermano abre la boca.

—No, Max. Yo te he escuchado, ahora te toca a ti. Tú puedes hacer lo que te dé la gana, ir a donde te apetezca, ser exactamente quien tú quieras ser. Eres el mayor, pero no quieres cubrirte con el prestigioso manto Valentine. ¿Te supone demasiado trabajo? De acuerdo. No te preocupes, la buena de Faith lo hará por ti.

Max se sonroja como nunca lo había visto, y me giro hacia Hope.

—Cariño. —Se me encoge el estómago por la culpa—. Lo siento mucho, pero no soy casi perfecta. No todo lo que hago está bien. No todo lo que pienso es bueno. Cometo errores, como cualquier adolescente normal y hecha polvo. Pero no soy capaz de moverme por miedo a decepcionarte.

Po parpadea unas cuantas veces y luego se sienta en el sillón que acabo de dejar vacío.

—Dios —dice en voz baja.

Me giro hacia Mercy.

—Mer. —Se ha quedado completamente pálida, pero no puedo parar. No pienso parar—. Tú puedes ser tú porque yo tengo que ser yo. Tú puedes ser borde y cruel porque yo soy dulce y buena. Tú puedes ser el Cisne Negro porque yo soy el Cisne Blanco.

Se me estrecha la garganta.

—Pero la cuestión es que yo no elegí este papel y nunca lo he querido. No me apetece seguir dando vueltas bajo el foco, intentando con todas mis fuerzas no caerme mientras todo el mundo me mira.

El corazón me late a una velocidad exorbitante y me tiembla la voz.

—Puede que ahora mismo no sea yo misma. A lo mejor no soy la Faith Valentine a la que conocéis y a la que queréis. A lo mejor quería ver quién podría ser si no lo fuera.

—Faith...

—¡Por favor! Necesito que me deis espacio.

Con las mejillas ardiendo, subo corriendo las escaleras, cojo mi pasaporte de la caja fuerte del descansillo y me lo meto en el bolso. Luego voy hacia la puerta de atrás.

Se abre antes de que yo llegue.

—¡Effie!

—¿Noah?

—¡Eff! Cuánto me alegro de que estés aquí. La prensa se está volviendo loca ahí delante y te he llamado un millón de veces, pero no quieres hablar conmigo, así que pensé que podría...

—No —digo pasando por su lado.

—Eeeh... —Noah me sigue—. No... ¿qué? Sé que debería haber venido antes a verte, pero estoy de gira, Eff, y te he escrito muchas veces. Y tú tampoco te has quedado corta,

272

según he leído en la prensa, intentando ponerme celoso con el Dylan ese y...

—No. —Sigo andando.

—No lo entiendo. ¿Qué dices?

Noah acelera hasta que se pone delante de mí —bloqueándome el paso— y, con tristeza, empieza a aparecer ante mis ojos el año que hemos pasado juntos.

Todas las veces que fui donde él me dijo que fuera, que me puse lo que me dijo que me pusiera, que me convertí en quien él me dijo que me convirtiera. Todas las veces que asentí y sonreí y saqué el hoyuelo justo en el momento indicado.

Todas las veces que no escuchó cómo estaba yo, o que ni siquiera me preguntó. Todas las veces que intenté decirle o mostrarle que necesitaba que me ignorara, todas las veces que ambos sobrepusimos lo que él quería a lo que quisiera yo.

Todas las veces que dije «sí», o «vale», o «de acuerdo» cuando, en realidad, quería decir...

—No.

—Pero... —Noah vuelve a perseguirme—. Te quiero, Eff. Eres...

—No me quieres —lo corto—. Lo siento. Tú quieres a Faith Valentine, que no es lo mismo.

El que lleva un año siendo mi novio me mira confuso. Incluso ahora no es capaz de ver la diferencia.

—Pero... —Tira desesperado de mi manga—. ¿Todo esto es por aquel estúpido beso, Eff? Porque te lo digo de verdad, por enésima vez, no significó nada. Perdóname y verás que podemos volver a donde lo dejamos. Estoy seguro.

Lo miro. No. Lo. Entiende.

No quiero un amor mohoso. No quiero una relación en la que sienta que estoy desapareciendo y que no pasa nada.

Merezco estar con alguien que me deje decir que no, y Noah no es esa persona. Porque él era feliz cuando no lo hacía.

Me suelto de su mano.

—No —digo por última vez, atravesando los arbustos. No es por el beso. Nunca lo fue, en realidad—. Lo siento, Noah. Pero esto se ha acabado.

48

Mi agente responde al teléfono enseguida.

A través del agujero en la valla, al fondo del jardín —el hueco secreto por el que las Valentine llevan casi un siglo escapando—, puedo ver el tejado de mi casa, parcialmente visible entre los árboles.

Es mi vida y soy yo quien pone las reglas.

—Hola, Persephone —digo—. ¿Decías en serio lo de que podía elegir cualquier papel que quisiera?

El próximo paso es elección mía.

Y sé exactamente quién quiero ser.

49

UN SALTO DE FE

Tras semanas de especulación, Faith Valentine vuelve a estar confirmada oficialmente como protagonista de Quincena de terror. La Reina de Hielo británica, que había rechazado el papel con anterioridad por motivos personales (véase la Lista de la Vergüenza), ha admitido públicamente que ha «cometido errores».

«Estamos encantados de volver a contar con Faith —ha dicho un portavoz—. Siempre fue nuestra primera elección.»

Scarlett Bell —la desconocida actriz a la que han despedido de la serie— ha dicho encontrarse «totalmente en shock» con este cambio de última hora.

Por fin la prensa lo hace bien.

Es verdad que Scarlett lleva en shock cuarenta y ocho horas, desde el momento en el que aparecí en su apartamento.

—Es que, no... No puedo... —Letty no deja de dar vueltas

en círculos, como un jerbo con una conmoción cerebral—. No pretendía que tú... No es... No puedo creer que hayas... Me río mientras me como otro trozo de lasaña fría.

Han pasado dos días desde que hui de los Valentine. No hay camas de dos metros, ni edredones de seda pura, no hay pájaros cantando dulcemente al amanecer, ni sesiones de yoga, ni baños de mármol. El sofá raído rasca y en el momento en el que me muevo, se cierra conmigo dentro, como un burrito. La toalla que estoy utilizado huele a calcetines sucios, la almohada tiene bultos y no sé qué son.

A las tres de la mañana, los vecinos de arriba de Scarlett empiezan a gritar.

Y a las cinco, y a las seis y diez de la mañana, se les une un bebé.

Pero —incluso en medio de todo este caos—, sigo teniendo la sensación de que he tomado la decisión correcta.

—Scarlett —me río, engullendo más lasaña—. Deja de andar. Una chica lista sabe cuáles son sus límites; una chica inteligente no tiene ninguno.

Mi amiga entrecierra sus ojos verdes.

—La imperfección es belleza. —Asiento con la boca llena—. La locura es genial, y es mejor ser totalmente ridícula que completamente aburrida.

Se lleva la mano a la boca.

—Todos somos estrellas. —Le lanzo los brazos subiendo y bajando las cejas—. Y nos merecemos brill...

Me lanza un cojín a la cabeza.

—Deja de Marilyn Monronearme. —Scarlett se ríe mientras coge una caja de comida para llevar—. Estoy agradecida, Eff, pero no tanto. ¿Quién no querría vivir en un campo de lava helada en Islandia durante seis meses?

Se golpea la boca con una mano y vuelve a dar vueltas.

—Madre de Dios. —De repente se detiene—. Tú vas a

vivir en un campo de lava en Islandia medio año por mí, Eff. —Otro círculo—. Yo estaré de fiesta en Estados Unidos y tú... No me puedo creer que yo... Que tú... —Desaparece de pronto del salón y vuelve cargada de ropa.

—Scarlett. —Sonrío—. No tienes que...

—Ya lo sé —afirma, tirándome el montón de prendas—. Un abrigo calentito. Botas de nieve. Camisetas térmicas. Jerséis. Guantes. Bufandas. Gafas de sol. Llévatelo. Por favor. Va a hacer mucho frío. Y vas a estar muy sola. Va a estar muy vacío y muy oscuro y desolador y helado y...

Con un maullido de estrés, Scarlett salta sobre la cama y me abraza fuerte.

—Gracias —susurra.

—Puede que no sepas esto —digo, acariciándole su rubia cabeza—, pero soy muy muy muy rica y muy muy famosa. No necesito que me regales ropa. Y mucho menos de... —miro la etiqueta— Primark.

—Es barato —dice con cara seria—. Coge también la maleta.

Me río.

—Esto es lo que quiero. Lo he pensado mucho y creo que no eres consciente de las ganas que tengo de salir de Inglaterra. Alejarme de mi círculo por un tiempo. ¿Frío, helado, vacío, desolador? Soy la Reina de Hielo, Letty. Mi color favorito es el gris. Islandia está hecha a mi medida.

Scarlett sonríe de oreja a oreja.

—Tienes razón. Es como tu hogar espiritual, preciosa diosa inhóspita. —Luego saca un fajo enorme de papeles de debajo del sofá y me lo tira—. Toma. Esto también es tuyo.

Se me retuerce el estómago: el guion.

Es lo único en lo que he estado intentando no pensar. Estoy contenta por marcharme de casa, volar a otro país, instalarme en mitad de la nada. Pero voy a tener que... eso.

«Actuar.»

—¡Genial! —Sonrío y asiento—. ¡Parece divertido!

—Oye, no malgastes la sonrisa falsa. —Scarlett suspira—. Guarda un poco de talento para este trabajo que me acabas de arrebatar, por favor.

—¿Perdona? —Me río—. ¿Arrebatar?

—Que me has quitado de encima generosamente. Por favor, no me lo devuelvas. —Scarlett resopla y abre el guion—. Nos quedan dos días hasta que te vayas al aeropuerto, así que será mejor que empecemos.

Nos pasamos las siguientes cuarenta y ocho horas estudiando.

Acampamos juntas en el sofá con un montón de pizzas y damos todo lo que tenemos. Scarlett subraya mis escenas con un rotulador fluorescente, y repetimos las frases hasta que me las sé de memoria, hasta que las comprendo, hasta que recuerdo qué reacción he de tener con cada una. Escribe notas en los márgenes: «No llores aquí; internaliza el dolor; un poco alarmada; ¿cómo muestra ella el miedo?».

Y, poco a poco, mi nuevo personaje empieza a cobrar forma, hasta que siento que Frankie es... casi real. Sinceramente, mi amiga me ha enseñado más de interpretación en dos días que mi abuela en un año entero.

De pronto me siento muy culpable. «Abuela.»

Apagué el teléfono en cuanto me fui de casa y no lo he vuelto a encender desde entonces. He usado el de Scarlett para llamar a Persephone otra vez y organizar el viaje. Pero todavía tengo la cara de mi abuela en la subasta impresa en el cerebro: de un blanco fantasmal y llena de decepción.

¿Y mamá?

No puedo pensar en ella ahora mismo. Ha llegado la hora de que mis hermanos tomen el relevo. Yo no... no puedo.

—Vale —dice Scarlett, metiendo mi maleta de Primark en el ascensor. El coche del estudio me está esperando fuera—. Pues esto es todo, supongo. La próxima vez que te vea estarás en el aeropuerto de Reikiavik, preguntándome por qué te hago una videollamada si solo hace unas cuantas horas que te fuiste y diciéndome que me busque una vida.

Me río y entro en el ascensor. Mañana Scarlett se va a Estados unidos y veo en su cara una mezcla de felicidad agridulce y agradecimiento. De alguna forma consiguió ver a mi yo real sin necesidad de romperme por la mitad. Me dio la oportunidad de abrirme lentamente, porque yo quería, y lo ha cambiado... todo.

Con un arrebato de cariño, salgo del ascensor de un salto y abrazo fuerte a mi amiga.

—Oye. —Sonríe mientras levanta los brazos para que no se cierre la puerta del ascensor—. ¿A qué viene este amor tan fuera de guion? Ten cuidado, Eff, o tu fría reputación empezará a tambalearse.

Me río y me seco los ojos.

—Pásalo genial en Estados Unidos.

—Pásalo genial en Islandia.

—Oye. —Doy un paso atrás y la miro—. ¿No habías dicho que el ascensor estaba estropeado?

Scarlett me sonríe mientras las puertas se cierran entre nosotras.

—Bromas, Valentine. Son todo bromas.

50

BIENVENIDOS A UNA NUEVA DECLARACIÓN MUY ESPECIAL DE T-ZONE

Tras mucho pensarlo, este blog va a cerrar.
Gracias por seguirme; nos vemos en el recreo, en la puerta del edificio de química, Kevin.
Amor y dragones. Tim
P. D.: ¿Qué es exactamente la zona T? ¿Lo sabe alguien?

Silencio.

Doy un paso y me adentro en el frío.

Ya es de noche en Islandia cuando llego, y el aire está limpio y huele como a claridad, aunque no haya luz. Los pocos pasajeros que quedan merodean en silencio por el aeropuerto de Reikiavik, atravesando las puertas de cristal hacia el aparcamiento. No hay periodistas, ni cámaras, ni preguntas. Me quito tímida las gafas de sol.

El cielo parece estar más alejado, ligeramente matizado con la luz naranja de la ciudad. Con un pequeño suspiro, cierro los ojos y echo la cabeza hacia atrás. El delicioso aire fresco entra por mi nariz y llega hasta el final de mi garganta, tan frío y puro que parece agua.

Inhalo otra vez.

Y otra vez.

Y otra.

—¿Señorita Valentine?

Una mujer rubia con una parca verde está delante de mí, con la capucha apretada alrededor de los ojos turquesa. Tiene un colgante oficial de la productora y sujeta un cartel plastificado en el que pone: «Scarlett Bell – Quincena de terror».

Sonrío y vuelvo a respirar hondo. ¿Dónde se había escondido todo este aire?

—Soy Berglind. —Su voz es suave y tiene acento—. La ayudaré a instalarse en Islandia. Venga conmigo.

Sin decir nada más, coge mi maleta y empieza a arrastrarla hasta un jeep negro.

Durante una milésima de segundo, no quiero moverme. Solo me apetece quedarme aquí, respirando, sintiendo el vacío y el silencio y el frío entrando y saliendo de mí.

Me muerdo el labio y saco mi teléfono del bolsillo, lo enciendo y espero a que me lleguen los mensajes, los correos electrónicos y las llamadas perdidas, las notificaciones, los titulares, el *ping, ping, ping, ping, ping*.

SIN SEÑAL

Vuelvo a respirar hondo con una sonrisa. Y vuelvo a apagar el teléfono.

El trayecto dura horas.

Nos alejamos de las luces de Reikiavik y nos adentramos

en una extensa oscuridad: solo hay dos faros amarillos brillando en toda la carretera. Berglind no habla, así que yo miro por la ventana, intentando averiguar adónde vamos. Con cada minuto que pasa, la noche se hace más oscura, el campo más vacío y la carretera más solitaria. Por fin, el coche se detiene en un sendero de grava.

El jeep avanza, crujiendo y tambaleándose, hasta dos cabañas de madera: cuadradas, pintadas de negro, apenas visibles.

—Nos quedaremos aquí esta noche —anuncia Berglind.

Me da una llave y una linterna, señala la cabaña más lejana, se despide con la mano y ya está: se acabó la asistencia. Trago saliva —está claro por qué este país tiene su propio género de películas de terror— y me dirijo hacia la cabaña, abro la puerta de madera y enciendo la luz.

Las paredes son de contrachapado, hay una bombilla solitaria colgando del techo, una silla gris, una taza blanca, una cama individual y una almohada. En una pared hay una puerta corredera de cristal y a través de ella puedo ver un lago. El agua plateada, rodeada por árboles recortados por la luz de la luna.

Suelto mi maleta. He cambiado todo el oro y el terciopelo y el mármol de los Valentine por una bombilla colgando frente a un pálido lago gris.

Abro la puerta de cristal y camino hacia el agua.

No veo ni escucho nada. Incluso los arbustos parecen huesudos y muertos. La soledad es la nada ensordecedora acarreada por el viento.

Llego hasta el lago y miro al cielo. Es tan negro que casi parece azul. Se aleja del suelo como si lo estuviera levantando una grúa. Hay una masa de estrellas blancas esparcida por todas partes, el viento es fresco, el silencio duele y me siento...

Limpia. Calmada. Libre.

Y lentamente empiezo a notarlo otra vez: estoy suelta, sin ataduras.

Levanto la barbilla, extremadamente feliz.

—¿QUÉ LE DICE EL BUDISTA AL VENDEDOR DE PE-RRITOS CALIENTES? —grito a la oscuridad, dando vueltas en círculos—. ¡HAZME UNO CON TODO!

Encima del lago, un destello color verde lima se retuerce por el cielo.

«Ja.»

Sabía que era bueno.

Luego, riéndome, me doy la vuelta y vuelvo a la soledad.

51

¿Cuántos años tiene el sol?

Pocos, porque no lo dejan salir de noche.

—¿Faith? —Berglind llama suavemente a mi puerta—. ¿Estás vestida? Nos queda un camino muy largo y se acerca una tormenta.

Me pongo rápidamente un par de mallas, una sudadera calentita y las botas nuevas de Scarlett, cierro la cremallera de la maleta y cojo el bolso.

Cuando terminamos de cargar las maletas en el jeep, el cielo sobre nosotras se ha puesto de color gris carbón y está lleno de nubes densas. Rebotamos por el sendero de grava y el coche coge velocidad por la oscura carretera.

El paisaje vacío cambia a cada kilómetro, de llanuras a colinas y a montañas. Los volcanes atraviesan las nubes cargadas y se ven cimas nevadas. A nuestro lado, agua turquesa rasga un césped verde lima, formado ríos y lagos, descendiendo por los peñones.

Conforme el coche va cogiendo velocidad, miro cómo el terreno sube y baja. Con fuerza, como si le costara respirar.

Los campos, en algún tiempo de lava fundida, se convierten en extensas llanuras negras. A nuestra derecha, aparece un mar furioso, que golpea con furia. El cielo se oscurece aún más y el agua clara se acumula en los barrancos hasta que aparece una enorme cascada que ruge e impacta contra las rocas con tal fuerza que parece que quiere destruirlo todo a su paso.

Algo me sacude el pecho. Todo esto es precioso, pero no es pasivo. No es bonito. Está vivo y burbujeante. Es peligroso. Poderoso. Islandia es un país que te desafía.

—Creo que te han visto. —Berglind asiente, como si pudiera escuchar lo que estoy pensando—. Los *huldufólk*.

—Los... —Me giro hacia ella—. Perdona, ¿quiénes?

—Los seres escondidos. —Vuelve a asentir—. Los elfos. Diablillos. Hadas. Son muy curiosos con los extraños. Esas rocas... —señala dos enormes peñones, conectados ligeramente por la punta— son troles besándose, convertidos en piedra por el sol. —Baja la voz y me sonríe—. A los troles no les gustamos. Son muy fuertes, pero, por suerte, no muy listos.

Me quedo mirando hasta que dejamos atrás los peñones.

—¿Hay mucha gente en Islandia que crea en la magia?

—Ja. —Berglind asiente de nuevo—. La mayoría, creo. ¿En qué vamos a creer si no?

En cualquier otro momento, en cualquier otro lugar, habría dado por hecho que era una broma que no estaba entendiendo y habría intentado reírme con educación. Pero si la magia existe en algún lugar, es aquí.

Las nubes de tormenta se congregan sobre nosotras, y Berglind, entrecerrando los ojos, acelera aún más.

Gota a gota, la lluvia empieza a golpear el parabrisas. El viento comienza a soplar.

—Aquí viene —dice Berglind con calma.

Y, en cuestión de segundos, el cielo se rompe tembloroso mientras el agua empieza a descender tan densa que apenas vemos la carretera. El coche patina hacia el césped, como si una mano invisible lo estuviera empujando. Está tan oscuro que hemos tenido que encender los faros, aunque todavía no es ni mediodía. Los relámpagos iluminan el cielo; el aire sopla.

Miro a la conductora.

Sí, muchas veces he dicho que estaba asustada. De subir al escenario, de hablar con desconocidos, de que me grabase una cámara, de decir algo inoportuno a la persona adecuada, y de decir algo oportuno a la persona inadecuada. Pero empiezo a darme cuenta de que exageraba, porque el miedo es esto.

Respiro hondo con las manos apretadas.

—No nos pasará nada..., ¿verdad? —Exhalo despacio.

—Quién sabe —dice Berglind mientras el coche vuelve a patinar—. Mucha gente muere en Islandia. Las tormentas son muy muy peligrosas.

Bueno, no era precisamente la respuesta que quería.

—¿Y si... paramos?

—¿Por qué? —Me mira con sorpresa—. Mi pueblo está por ahí. —Asiente—. Vivimos en la falda de un volcán activo. Se suponía que iba a entrar en erupción hace ochenta años. Tenemos diez minutos de aviso antes de que estalle. Con suerte, quince.

Abro muchísimo los ojos. Sé que es una pregunta tonta, pero...

—¿Qué pasaría?

—Un incendio. —Berglind se encoge de hombros—. Lava. Ceniza. El pueblo, arrasado. ¡PUF! La familia, una nube de polvo.

«Vaya.»

El cielo vuelve a partirse por la mitad; el coche se tambalea.

Aprieto aún más las manos.

—Y... ¿qué hacéis?

—Somos conscientes de que cada momento que tenemos puede ser el último. —Y se ríe—. O conseguimos un trabajo en la industria del cine.

La tormenta termina tan de repente como empezó. Todo el paisaje cambia conforme el cielo se aclara hasta que vuelve a ser de un azul zafiro.

Y por fin —pasadas las doce del mediodía—, Berglind entra en un aparcamiento a rebosar. Se me hace un nudo en el estómago. Docenas de personas con abrigos enormes y sombreros están montando unas cámaras de cine enormes en trípodes, focos, reflectores, remolques metálicos con un montón de equipamiento apilado, montones de cables, un bulto de pelo gris con forma de conejillo de indias al final de un palo.

Que les den a Meisner, Chéjov, Stanislavski, Hagen...

«¿Por qué nadie me ha enseñado cómo se llama todo esto ni qué hace toda esta gente?»

—¡Faith! —Christian Ellis emerge de entre la multitud, vestido, para variar, de negro, como cualquier director que se precie.

—Hola, señor Ellis. —Sonrío y saco la mano—. Gracias por darme otra oportunidad. Le agradezco que...

—¡Ven aquí! —Sin preguntarme, me agarra en un abrazo enorme—. Vamos a dejarnos de incomodidad. ¿Lo clavaste en tu primera audición? No. ¿Y en la segunda? Para nada. ¿Si te hubiéramos hecho más, habrías clavado alguna? Es muy poco probable.

Se aparta de mí con una sonrisa irónica.

—Pero los titulares gratis son titulares gratis. Así que estamos en paz, ¿vale? Estoy encantado de tenerte aquí. —Mi director hace un gesto al resto del equipo—. ¡ATENTOS TODOS! Faith Valentine, nuestra nueva protagonista. No es Scarlett Bell, como dice el informe.

Todo el mundo me mira, saluda y sigue a lo suyo.

Siento que se me relajan los hombros. Aquí nadie espera que sea Faith Valentine; de hecho, la gracia es que ellos necesitan que sea otra persona.

—Todavía nos queda luz suficiente. —Christian le hace gestos a una chica morena muy guapa—. ¿Podemos llevar rápidamente a Frankie a maquillaje?

Saco el guion de mi bolso.

Gracias a los ensayos con Scarlett, me sé la gran mayoría de las frases. De hecho, creo que puedo con casi cualquier cosa que me lancen ahora mismo.

—Bueno —digo con mi voz más segura—, ¿con qué escena vamos a empezar? —Voy pasando las hojas del fajo de papel—. ¿El monólogo en la cascada, o la crisis en la cabaña, o la...?

El director se ríe.

—Hoy vas a saltar de un coche en movimiento.

52

Eh, eso no está en el guion que yo tengo. Estoy bastante segura de que me habría dado cuenta.

—¿Perdona?

—Hemos hecho algunos cambios —explica Christian mientras la maquilladora me lleva hasta el remolque más grande—. Hemos quitado bastantes frases y añadido mucha más acción. Eres la Reina de Hielo deportista, ¡más vale que lo aproveches al máximo!

Es una broma, ¿verdad? Está de coña.

No me he pasado los últimos dos días con Scarlett y todo el viaje hasta aquí aprendiéndome el guion para que lo recorten en el último momento.

«¿Otra vez?»

Me quedo estupefacta mirando al director.

—¡Eso es! —Da una palmada—. ¡Esa es la expresión exacta a la que me refiero! Fría, sin emoción, firme. ¡Me encanta! Venga, vete a que te llenen de sangre, caramelito helado.

¿No me podían haber enviado un mensaje?

—Mmm.

Respiro hondo mientras me empieza a hervir la sangre. Luego, con los ojos entrecerrados, entro tranquilamente en la caravana con la cabeza alta y la espalda en una línea recta y fría. Es un trabajo que yo he escogido y estoy interpretando un papel.

¿Necesitan que sea fuerte y atlética? Hecho.

¿Quieren que salte de un vehículo en movimiento? Lo haré.

¿Piensan que soy una pesadilla de persona, fría y distante? Es lo que tendrán.

Soy Faith Valentine, actriz, y puedo ser quien ellos quieran que sea.

La maquilladora me quita los dos pares de mallas y me pone unos vaqueros rotos y sucios, remplaza la sudadera calentita por otra mucho más sucia y mis deportivas por otro par casi idéntico. Me echa en la cara una mezcla extraña de glicerina para que parezca que estoy sudando. Con mucha maña, pega un protésico en mi oreja y lo moldea para que parezca que me han arrancado un trozo.

Luego saca una botella de un líquido rojo.

—Esta es la mejor parte —confiesa entusiasmada—. Cierra los ojos.

Hago lo que me dice y ella empieza a verter el líquido por toda la ropa, el cuello, la cara, la oreja, la línea del pelo.

—Listo.

Me miro en el espejo. Estoy bañada en sangre: pegajosa y cubierta de un pringue viscoso rojo. Aparte de aquella primera fiesta en casa de Scarlett, nunca en mi vida había parecido tanto un perrito caliente.

—Guay. —Muevo la nariz—. Gracias.

Respiro hondo, salgo del remolque y camino con calma hacia el director y su equipo, con una expresión de acero puro.

—Buenas tardes —saludo con una voz plana—. Dime cuál es el vehículo del que quieres que salte, por favor.

Christian se me queda mirando unos segundos.

—¿Lo vas a hacer?

—Por supuesto.

—Será a más de cien kilómetros por hora.

—De acuerdo.

—¿Vas a saltar de un coche que va a más de cien kilómetros por hora a una carretera de asfalto sin ningún tipo de entrenamiento?

—Sí.

Él se queda perplejo. Me mira y suelta una carcajada.

—Me caes bien. Dura como una roca, como tu abuela. Era broma, Faith. Eres demasiado cara como para matarte el primer día. Te presento a tu doble, Dominique Weston. Tiene un talento increíble.

Me doy la vuelta, confusa. Hay una chica detrás de mí: alta, con piel marrón, tonificada. Unos enormes ojos avellanados, nariz pequeña y labios carnosos. Llevamos exactamente la misma ropa, su oreja izquierda está igual que la mía e incluso parece que la sangre falsa está exactamente en los mismos sitios.

También está completamente calva.

—Hola —dice sacando una mano—. Llámame Westie. Y, no te preocupes, me han compensado económicamente por el corte de pelo. Aunque la verdad es que empieza a gustarme. ¿A ti tampoco paran de tocarte la cabeza?

Me río y luego me acuerdo de que se supone que no debo tener sentido del humor.

—No.

—Vaya. Pues mi cráneo nunca ha sido tan popular.

Espero hasta que Christian esté mirando hacia otro sitio y le sonrío, asiento y vocalizo: «Sí, es un no parar». Ella se ríe y chocamos los puños.

—Westie ya ha hecho su escena. —El directo me guía por

292

una sección de la carretera acordonada. Hay un coche blanco aparcado a lo lejos y, a unos cien metros, un grupo de personas y equipo de grabación—. Solo necesitamos un primer plano.

Asiento mientras los pies de cisne de mi interior empiezan a patalear.

Plaf, plaf, plaf, plaf...

—Vale.

—En cuanto el coche llegue a esa marca —señala una línea de tiza—, quiero que te caigas al suelo, Faith. No te preocupes demasiado por reaccionar. Con que golpees el asfalto, nos vale.

Sus expectativas en cuanto a mis capacidades interpretativas son, literalmente, ninguna.

—Vale.

—¿Podrás hacerlo?

—Sí.

—Excelente. —Christian da unos pasos hacia atrás—. ¡TODO EL MUNDO EN SILENCIO! ¡Últimos retoques!

De pronto, empieza a haber mucha actividad: las cámaras se encienden, las luces comienzan a brillar, los últimos retoques, levantan al conejillo de indias con el palo. Tengo que averiguar cómo se llama eso.

—¡Últimos retoques listos!

—¡Todos preparados!

—¿Sonido?

—¡Listo!

—¿Marcas?

—Listas.

—¿Cámara?

—¡Rodando!

—Escena 42, toma uno.

—¡ACCIÓN!

Suena una claqueta y respiro hondo.

El coche empieza a acelerar. Las ruedas chirrían. Y, con un rugido enorme, acelera. Parece que tarda una eternidad en llegar hasta mí. Pero puedo hacerlo. Puedo hacerlo.

«Solo tienes que tirarte, Faith. Soltarte y tirarte.»

«Tírate, tírate, tírate, tírate, tírate, tírate...»

El coche llega hasta la marca y mis piernas ceden. Me doy contra el suelo. La fuerza del golpe me deja sin respiración y mi cabeza impacta contra el asfalto. Me quedo tumbada —aturdida— durante unos segundos mientras el suelo no para de dar vueltas.

«Lo conseguí.»

—¡CORTEN! —Christian avanza—. ¡Otra vez!

Me tiro al suelo quince veces.

Una y otra vez, hasta que el dolor y el aturdimiento empiezan a ser muy reales, y puede que algo de la sangre también.

Gritan el último «CORTEN». Me levanto entumecida. Hasta que no me envuelven en una manta de papel de aluminio y me dan una taza de té, no soy consciente de que estoy temblando.

—¿Te encuentras bien? —Me pregunta el director acercándose a mí.

—Sí. —Lo miro con frialdad.

—He de decirte que estoy bastante impresionado. Teddy se va a enfadar. —Sonríe con amabilidad—. Te recomiendo que descanses todo lo que puedas, Faith. Mañana empezamos muy temprano y necesitamos que estés al cien por cien.

¿Qué vamos a hacer mañana? ¿Puenting? ¿Escalada? ¿Paracaidismo?

—De acuerdo. ¿Tengo que prepararme algo?

—No. —El director sonríe—. Mañana tienes que correr.

53

—He ido a Suecia y me he comprado unos zapatos.
—Ah, ¿sí? ¿Cuáles?
—Unos zuecos.

Correr. Eso se me da bien.

Justo antes del amanecer, me llevan a un lugar aislado en mitad de la oscuridad. Me dan la misma ropa que ayer y me explican brevemente el contexto de la escena. Luego, rodeada por unas cuantas personas del equipo de cámara, corro.

A toda velocidad, atravesando el césped bajo, el alto, subiendo y bajando montañas; a través de fango y arroyos congelados; subiendo colinas y saltando vallas; rodeando árboles y caballos y ovejas y troncos.

Corro durante horas —mientras el sol va subiendo— y lo noto.

Un rugido familiar en el pecho. La quemazón en las piernas, el latir del corazón, el calor en las mejillas y el «uuufff» rítmico de los pulmones. Conforme el cielo pasa de negro a plateado y mis pies golpean el suelo, algo empieza a cambiar en mi interior.

Porque no soy una Valentine cuando corro. No soy una

exnovia, ni una hermana mayor, ni pequeña; no soy una hija, ni una nieta desgraciada; no soy una rompecorazones ni a la que se lo han roto.

Pero tampoco es que no sea nadie. Soy yo. Y, Dios, cuánto lo había echado de menos.

—¡CORTEN! —grita Christian mientras salgo de un bosque a tanta velocidad que siento que me arden los pies—. Caray, Faith. Pensaba que tendríamos que hacer bastante edición, pero tienes esto de correr bastante controlado, ¿no?

Exhalo y me paso la mano por un rasguño de la mejilla.

—Aunque apenas has sudado —suspira mientras avisa a la maquilladora—. Que alguien haga que brille un poco. ¿Puedes respirar con más dificultad, por favor? Se supone que estás huyendo de unos zombis, pero casi parece que estén huyendo ellos de ti.

Se me escapa una risa.

—Entendido. Vamos.

Sigo corriendo y el paisaje se divide en negro, blanco y azul. Concentrada, corro por un aparcamiento, subo una colina y cruzo una cresta. Hay una cámara siguiéndome a lo lejos y otra esperándome al final.

Llego hasta la cima y exhalo profundamente. Delante de mí, un volcán cubierto de nieve reposa en silencio tras un lago helado. En el agua turquesa e inmóvil hay cientos de icebergs de un azul eléctrico: opacos como trozos de cristal de un mar helado. Hay focas grises holgazaneando sobre ellos —repantingadas como si fueran turistas tomando el sol— y, en la arena gris de la orilla, un montón de pedruscos del tamaño de pelotas de golf, de fútbol y de playa.

Es tan bonito —y tan frío— que los ojos se me empiezan a llenar de lágrimas que se congelan de inmediato, como pequeñas cuchillas de hielo que me punzan las pestañas.

Parpadeo y el cámara se acerca mucho. Seguro que se

cree que estoy actuando, pero en realidad me había olvidado de que estaba ahí.

—¡CORTEN! —grita Christian, y espera hasta que bajo al pie de la colina—. ¡Increíble! Métete en el coche y tómate un descanso rápido. Todavía te queda una carrera más.

Sin decir nada, me subo al vehículo y me desplomo en el asiento trasero.

Tengo los pies entumecidos, la ropa empapada y noto los latidos en la cara. Y me muero de hambre. Intento averiguar cómo habría soportado Scarlett el día de hoy. Doble de pepperoni y extra de queso, creo.

—Toma. —Christian sube al coche y me da una baguette de atún—. Tendrás hambre.

Me meto la mitad del bocadillo en la boca antes incluso de darle las gracias.

—Has hecho un buen trabajo —dice mientras el coche empieza a recorrer la carretera principal—. Mañana será menos físico, y hemos vuelvo a modificar un poco el guion para que encajes mejor. Me imagino que te gustará.

—*Gdaciaz* —consigo decir con la boca llena.

—Te lo voy a enviar para que revisemos ahora algunos de los cambios antes de grabar lo que nos falta hoy. Luego podrás practicar más en el hotel.

Me trago con dificultad la baguette.

—Um... ¿Podría... utilizar una copia... en papel? Prefiero... el tacto y la... apariencia... del guion... de verdad.

—Por supuesto, Faith. Ahora me acerco a esa foca y le digo que me lo imprima.

«¿Qué?»

—Estamos en mitad de la nada —explica Christian divertido—. Además, será más fácil leerlo en una pantalla.

Con una lentitud inmensa, saco el teléfono del bolso.

Aparte de aquellos treinta segundos en el aeropuerto, he

tenido el móvil apagado durante casi una semana. Esperaba poder alargar ese silencio un poco más, pero parece que mi exilio voluntario ha terminado.

Con el cuerpo completamente estremecido, lo enciendo. *Ping. Ping. Ping. Ping. Ping. Ping. Ping. Ping. Ping. Ping. Ping. Ping. Ping. Ping. Ping. Ping...*

—Caramba —dice Christian—. ¿Es un teléfono o una bicicleta justo antes de atropellarte?

Me quedo mirando todas las llamadas perdidas.

Noah. Hope. Hope. Hope. Max. Abuela. Genevieve. Papá. Papá. Hope. TÍO RARO: NO CONTESTAR. TÍO RARO: NO CONTESTAR. Max. Abuela. Papá. TÍO RARO: NO CONTESTAR. Noah. Genevieve. Abuela. Max. Hope. TÍO RARO: NO CONTESTAR. Persephone.

Y luego todos los mensajes:

¿Dónde has idoooooo? ¡Por favor
vuelve a casa! ¡No nos abandones!
Bssssss.

Ey, hermanita, ¿todavía estás por ahí?
¿Puedes traer comida? A mamá le ha
dado otro ataque nocturno y lo ha
destrozado todo. Te necesitamos.

¡Hey! ¿Nos vemos esta noche? Puedo
ir a tu casa. Dildón. Bss.

Hermanita, el soplagaitas bronceado
está en la puerta. ¿Le puedo dar un
puñetazo?

Problema resuelto. Le he tirado el osito de peluche gigante.

Hola, Faith, soy Genevieve. La contraseña de tus redes sociales es VIVEAMARÍE666. Por favor, actualízalas con regularidad.

¿ESTÁS BIEN? No sabemos nada de ti desde que saliste corriendo de clase, estamos muy preocupados. Por favor, dinos algo. Mia. Bss.

EFFIE, ACABO DE VER LA PRENSA. ¿TE HAS MUDADO A ISLANDIA SIN DESPEDIRTE? Po. Bsssssssss.

P.D.: Por favor, tráeme uno de esos jerséis tan guays.

P.P.D.: Y un caballo. Bss.

Effie, me acaban de decir que TE HAS MUDADO sin consultarlo ni con tu madre ni conmigo. Tenemos que hablarlo urgentemente. Por favor, llámame cuanto antes. Te quiere, papá.

Faith, ¿por qué no actualizas nada? Voy a publicar por ti ahora mismo. Genevieve.

Soy tu abuela. Ponte en contacto conmigo en cuanto puedas. Gracias.

Ping.

¿VAS A VOLVER A POR ELLO?

Ese es de Mercy.

No pienso abrir los correos electrónicos ni las alertas de Google. Ya estoy notando cómo me quedo sin respiración y cómo se me cierra la garganta. No sé muy bien qué pensaba que sucedería: que pidiera espacio de forma bastante firme y... ¿que todos me lo dieran?

¿Cómo narices vas a poner límites si todo el mundo los ignora?

El coche se detiene en otro árido aparcamiento.

—¿Preparada? —pregunta Christian mientas guardo el teléfono en el bolso y meto también el resto del bocadillo—. El equipo ya está listo, así que lo único que hace falta es que corras por la playa todo lo rápido que puedas. Hay algo horrible persiguiéndote, así que intenta parecer atrapada y desesperada.

No he hecho nada malo, ¿no? No es que haya desaparecido sin más. He aceptado un trabajo como actriz. ¿No es precisamente esto lo que todo el mundo me ha obligado a hacer durante toda mi vida?

—Vamos a intentar conseguirlo en una sola toma. Lo ideal sería grabar lo que queda antes de la próxima tormenta.

Entonces ¿por qué tengo la sensación de que sigue sin ser suficiente? ¿Por qué siento que he vuelto a decepcionar a todo el mundo?

—Cuando terminemos, será el turno de Westie y grabaremos cómo corre hacia el agua.

«¿Cuándo va a terminar todo esto?»

—Claro. —Me pongo una mano en la garganta—. De acuerdo.

Salgo del coche algo adormecida y empiezo a andar hacia una playa de arena negra, rodeada por unos acantilados enormes. El mar está gris y con mucha espuma blanca. El cielo es de color pizarra. Es como si el mundo se hubiera puesto de pronto monocromo pero a mí me hubieran dejado a color. En silencio, espero en mi marca. Respiro. Empiezo a escuchar una mezcla de «Silencio, últimos retoques, los últimos retoques están listos» —Respiro—. «Todos preparados, sonido, sonido listo» —Respiro—. «Marcas, listas, cámara» —Respiro—. «Cámara rodando, escena 26, toma 1» —Respiro—. «Y...»

—¡ACCIÓN!

Empiezo a correr a toda velocidad por la arena negra.

«No puedo seguir así. No puedo más.»

Doy un traspié. Me tropiezo, me caigo, me vuelvo a levantar y sigo corriendo. Porque Scarlett tenía razón: es lo de siempre, ¿no?

Siempre hago lo que me dicen y, cuando ya no lo soporto más, corro.

Cuando no puedo decir «no», corro.

Si algo me hace daño, corro.

Si alguien a quien quiero no es feliz y yo no puedo hacer nada, corro, corro, corro, corro, corro, corro. Pero nunca lo suficientemente rápido, ni lo bastante lejos, y no llego a ninguna parte. Siempre termino donde empecé, porque no sé qué quiero en realidad. Y aquí estoy...

—Y... ¡CORTEN!

«Atrapada.»

—¡CORTEN, FAITH!

El mar cubierto de espuma se enfurece y yo me giro y corro hacia las olas.

—¡FAITH VALENTINE, ESTA NO ES TU ESCENA!

Inhalando con fuerza mientras el agua helada me golpea las piernas.

—¡FAITH! ¿QUÉ NARICES ESTÁS HACIENDO?

Aguanto la respiración y me sumerjo en el agua tan fría y tan enfurecida que siento como si me estuvieran dando puñetazos.

—¡FAITH, NO!

Cierro los ojos y noto cómo una ola me golpea la cabeza. El agua ruge —desgarrando mi ropa, llevándose toda la sangre— hasta que siento que he desaparecido.

Pero no he desaparecido, no lo haré, no quiero.

«Se acabó.»

Pataleo con fuerza para salir a la superficie. Y —casi sin poder respirar— aparezco entre las olas y me esfuerzo por llegar a la orilla, tambaleándome en la arena negra.

—¡Faith!

Christian, furioso, y el equipo corren hacia mí, con toallas y bebidas calientes y mantas de aluminio.

—¿Acaso no me has escuchado? ¡Esa escena no era para ti!

Cojo una toalla y me envuelvo en ella.

—Uy.

Pero en realidad quiero decir: «Exacto».

54

¿Qué le dice el mar a la orilla?

Ola.

Envío un mensaje.

Me pondré en contacto cuando yo quiera.

A todo el mundo. Luego pongo el móvil en modo avión y me paso el resto de la tarde intentando con todas mis fuerzas practicar mi escena nueva. Siento una agitación de la que parece que no me puedo deshacer. Rabia, furia, como si quisiera hacer daño. Empiezo a entender cómo se debe de sentir Mercy el noventa y ocho por ciento del tiempo.

—¡Sonríe, guapa! —me pide un tío cualquiera durante el desayuno cuando me voy a servir una taza de café.

Me giro hacia él, con una mirada fría.

—Sonreiré cuando me apetezca —le suelto—. En mi cara mando yo.

Todavía hirviendo por dentro, repaso el guion con el director —haciendo todo lo posible por ser educada— y luego me llevan a una habitación de hotel para prepararme. La estilista me da la misma ropa de los últimos dos días, pero esta vez limpia. Me ponen un maquillaje fresco y bonito: nada de sangre, ni arañazos, ni sudor. Volvemos al principio, a la escena en la que empezó todo.

«Eso parece.»

Luego me llevan al nuevo set. Otro terreno vacío con una cabaña de madera abandonada en el medio: casi destruida, con agujeros en el tejado, la estructura de un viejo columpio fuera, lo típico de una peli de miedo. El equipo está intentando meter todas las cámaras e iluminación en un cobertizo de diez metros cuadrados, por muy imposible que parezca.

—¡Frankie! —Christian Ellis me saluda—. Te voy a presentar al coprotagonista de tu beso. Este es...

—Fred —digo en voz baja.

—Me llamo Ambrose —me corrige un rubio guapísimo mientras saca una mano—. Pero sí, interpretaré a tu novio.

—Hurra. —Suspiro—. Otro más.

El chico parpadea y yo me vuelvo hacia Christian.

—Bueno. —Lo único que quiero es terminar con esto cuanto antes—. ¿Dónde quieres que...?

—Hola, Effie.

Noto como si algo muy pesado me cayera sobre el estómago. Me doy la vuelta de golpe.

—¡Anda! —exclama el director—. ¡Justo a tiempo! Faith, esta es Patricia Allerton, una de las mejores profesoras de interpretación de la industria. Hoy va a ser un día complicado, ¡como si no lo supieras!, así que ha venido para darte alguna indicación extra.

Es la señora de las gafas de carey de las audiciones —a la que reconocía pero cuyo nombre no recordaba—. Con una sonrisa, me coge amablemente las manos y las aprieta.

—Sabes quién soy, ¿no? —Tiene una voz muy dulce—.

¿Te acuerdas? Le daba clases a tu madre, así que te conozco desde que eras pequeña.

De pronto, noto un bulto en la garganta. Porque sí que me acuerdo de ella, mirándonos en la carpa de la fiesta de mis padres, de pie junto a un jarrón enorme de orquídeas. Recuerdo que nosotros íbamos de blanco, rojo, azul, amarillo y morado. Recuerdo a mis padres sonriendo y recuerdo al público y las luces y el miedo abrumador que sentía.

Lo recuerdo todo y, como por arte de magia, se me suaviza el enfado.

—Sé que no hemos mantenido demasiado el contacto —dice en voz baja, apretándome otra vez las manos—. Y lo siento mucho. No sabía muy bien qué decir, aunque eso no es excusa.

Asiento y trago saliva con fuerza.

—Effie, sé que nunca te ha resultado fácil la interpretación. Presencié el espectáculo que preparasteis para la fiesta de aniversario de tus padres, ¿te acuerdas? Pero juntas encontraremos la forma de trabajar en esta escena. ¿Te parece bien?

De pronto me invade la sensación de volver a tener nueve años y llevar puestos los zapatos de mi madre.

—Sí, por favor —digo con un hilo de voz.

—¡Genial! —interrumpe Christian—. Frankie y Fred en la cabaña, por favor. Patricia, ve con ella, ¿vale? ¡Vamos a clavar esta primera escena!

Me empiezan a temblar de nuevo las manos. La cara se me está poniendo rígida. Se me tensan los hombros. El estómago no para de darme vueltas. Se me va endureciendo todo el cuerpo y me estoy convirtiendo, órgano a órgano, en hielo. Una estatua viva.

He practicado. He ensayado. He leído el guion una docena de veces. He interpretado esta escena antes. Sé que Frankie quiere a Fred; hay ruidos extraños fuera; él va a salir de la cabaña aunque ella no lo ve claro; ella está enfadada; se besan...

Entonces ¿por qué me vuelvo a congelar y a quedarme paralizada? ¿Qué me pasa?

—Puedes hacerlo —dice Patricia mientras no paro de mover los ojos buscando una salida—. Estoy aquí si me necesitas.

Asiento y parpadeo para dejar caer las lágrimas que se me acumulan en los ojos. Luego entro en la cabaña.

Christian Ellis me coloca en mi marca, nos explica nuestros ángulos y se va para fuera a observarnos a través de una ventana sin cristal. Miro a Ambrose con una sonrisa compungida —«Siento haber sido tan borde.»— y él me devuelve otra sonrisa.

—¡SILENCIO TODO EL MUNDO!

—¿Sonido?

—¡Listo!

—¿Cámara?

—¡Rodando!

—Escena uno, toma uno.

—Y... ¡ACCIÓN!

Fuera empiezan a sonar ruidos: animales asustados, ramas que se rompen, pasos.

Fred se gira hacia mí con los ojos muy abiertos, y tengo que decir: «¡Fred! ¿Qué ha sido eso? He oído algo... Hay alguien ahí fuera».

Y él: «No hay nadie».

Y yo: «Hemos cometido un error... Deberíamos irnos».

Y él: «Será una oveja o algo así».

Y yo: «Pero las ovejas no hacen ese ruido».

Y él: «Pues será una vaca, entonces».

Y yo: «No vayas».

Y nos besamos, nos besamos, nos besamos.

Me quedo mirando a Fred en silencio.

«Puedo hacerlo. Pero no quiero.»

—No.

—Eeem. —Fred me mira perplejo, luego al equipo, a la cámara, y luego a mí otra vez—. Eso no es lo que tienes que decir.

«En realidad, sí.»

—No quiero ser actriz. —Me giro hacia el director. Tengo una voz clara y gris y calmada—. Nunca he querido ser actriz. No me gusta. No me hace feliz.

Mi cuerpo lleva casi un año gritándome «NO», pero no lo escuchaba. Estaba tan ocupada preocupándome porque no era buena actriz que nunca me pregunté si quería serlo. Y no quiero. Ahora estoy segura.

Tengo que mover enseguida mi círculo, antes de que se quede pegado al suelo.

—Lo siento, señor Ellis, por ofrecerme el trabajo y por... —Hago una pausa—. En realidad no lo siento tanto. Solo tengo dieciséis años y me ha utilizado para conseguir titulares. Eso no está bien. Lamento que su equipo haya perdido el tiempo filmándome, pero prefiero perder tres días de sus vidas que el resto de la mía.

Se me queda mirando sin parpadear.

—Así que... digo que no.

Un rugido firme y silencioso me recorre desde la punta de los pies hasta los tobillos, luego hasta las rodillas, hasta las caderas, el estómago, el pecho, los hombros, los codos, las uñas, el cuello, las mejillas, los ojos y, cuando por fin sonrío, ya puedo sentirlo por todo el cuerpo.

No hay ni un solo hoyuelo.

—Ya veo. —Christian mira al flagrante cielo y se aprieta la nariz—. Sí. Probablemente sea una buena decisión. No tendría que estar dándole clases a mi protagonista en cada escena si contratara a una profesional que de verdad supiera lo que está haciendo. Le reservaremos un billete de avión a la suplente esta misma noche.

Lo miro sorprendida y aliviada.

—Gracias —digo con amabilidad.

Patricia me sonríe. Yo le sonrío. Salgo de la cabaña y respiro.

Respiro.

Respiro.

Respiro.

Respiro.

Respiro.

Luego saco el teléfono y le mando un mensaje a una única persona:

SÍ.

55

¿Qué dijo la pata al comprarse un pintalabios?

Me ha salido por un pico.

Mercy me está esperando.

Cuando subo por la ventana de mi habitación la noche siguiente, ella ya está ahí, exactamente donde sabía que la iba a encontrar. Acurrucada en mi cama. Apoyada contra la pared, agarrándose las piernas con los brazos, con la barbilla apoyada en las rodillas, mirando hacia la puerta con una mirada tan profunda que parece no tener fin.

Se me encoge el corazón.

—Hola, hermana.

Ella levanta la mirada, y el dolor de su expresión me deja sin aliento.

—Hola.

Nos quedamos mirándonos.

—Mercy... —empiezo yo.

—Fui yo —dice en voz baja—. Yo besé a Noah.

Y el mundo debería derrumbarse, dar vueltas sin parar, implosionar... Pero no ocurre nada.

—Él no te entendía —continua agresivamente, con los ojos brillantes—. Tú no eres como nosotros, Eff. Nunca lo has sido. Nosotros necesitamos ser el centro de atención para sentir que existimos. Para sentirnos más grandes y más reales. Para notar... que nos ven.

Aprieta los ojos muy fuerte.

—Tú eres todo lo contrario. Incluso cuando éramos niños. La fama te hace más pequeña. Y Noah eso nunca lo entendió, ni en un año. No podía quedarme esperando y viendo como encogías. Hasta que empezaste a... desaparecer. Pero tú no ibas a dejarlo nunca, así que...

Mi hermana se sonroja y aparta la mirada.

—Me puse una peluca rubia y me subí a un taxi. Me colé en la fiesta de después del concierto, le di cincuenta pavos a un tío para que nos hiciera una foto, agarré a Noah y le di un beso. Ni siquiera se dio cuenta de que era yo. Y luego filtré las fotos a la prensa.

«Faith, lo siento mucho.»

—Yo dejé que entraran los *paparazzi* en el jardín. Eso también fue cosa mía —añade con un tono de voz fuerte y levantando la barbilla.

Conozco esa expresión. Es la que cara que ponía mi hermana siempre que destrozaba la bicicleta de Max o rompía algún jarrón de mamá o rajaba la camiseta favorita de Hope jugando al juego del pañuelo: barbilla alta, mandíbula apretada, mirada desafiante.

La niña sigue ahí, dentro de la adulta. Y de pronto siento un amor tan fuerte y tan real que parece el llanto de un animal. Quiero abrazarla y matarla y besarla y hacerle daño y destrozarla y volver a montarla.

Mercy no se mete en mi cama todas las noches para molestarme, ni porque no le apetezca irse a la suya. Lo hace porque sigue teniendo pesadillas y no quiere estar sola.

Porque sabe que yo también las tengo.

—Vale —digo, sin más.

Se hace el silencio y ella gira la cabeza como si le hubiera dado una bofetada.

—¿Vale?

—Sí.

—¿Acabas de decir «vale»?

—Sí. Enti...

—¡PARA! —Mi hermana se levanta de un salto de la cama, con los puños cerrados y la respiración acelerada—. ¡NO TE ATREVAS A DECIR QUE LO ENTIENDES, FAITH! ¡No te atrevas a ponerte en mi lugar! ¡No te atrevas a quererme tanto! ¡No te atrevas!

Mer me golpea muy fuerte en el brazo.

—¡GRÍTAME! —Me vuelve a golpear—. ¡ÓDIAME! —Golpe—. ¡ÓDIAME! —Golpe—. ¡LO QUE HICE NO TIENE PERDÓN! ¡Soy tu hermana! ¡TU HERMANA!

Empieza a llorar.

—Mer... —La agarro e intento acercarla a mí—. Tú solo querías que yo fuera feliz...

—¡NO, NO QUERÍA! —Se suelta de mí—. ¡LO HICE PORQUE SOY UNA PERSONA HORRIBLE, FAITH! ¡Porque rompo todo lo que toco! ¡Porque quiero desgarrar y aplastar y destrozar todo lo que me rodea hasta QUE NO QUEDE NADA!

Mer se rodea el vientre con los brazos. Tiene los ojos húmedos y brillantes.

—Te he hecho daño, Faith. Te expuse a la prensa y lo empeoré. Hice que salieras huyendo. Nunca debí..., no tenía ningún derecho... No puedo creer que... —Le tiembla la voz—. Cometí un error enorme. —Llora desconsolada, con una mano temblorosa sobre la cara—. Y lo siento mucho. Por favor, no me odies, Faith. No me odies, no me odies, no me odies...

El corazón me retumba tan fuerte que no me puedo mover. El dolor me llega hasta la garganta hasta que se apaga con un clic.

Hace dos años, los Valentine no estallaron, sino que explotaron en un millón de trozos.

—No puedo... —Mercy se cae de rodillas al suelo y solloza con las manos sobre el rostro—. No puedo... Por favor, perdóname, Eff. Por favor. No puedo perder otra hermana.

56

Hace ocho años.

—¡Luces! ¡Cámara! ¡Acción!

—Eso no es lo que dice la gente de las películas —señala Max en voz alta desde un lado del escenario, colocándose la cuerda mostaza por encima del hombro—. Es una leyenda urbana.

—Jo, eres un pescado mojado —suspira Hope—, siempre derramando agua por todas partes. Derrama, derrama, derrama.

—Petardo mojado. Los pescados siempre están mojados. Obviamente.

—¿Qué es un petardo?

—¡Un fuego artificial! —grita alguien desde atrás—. De ahí el dicho: ¡no puedes encender un fuego artificial mojado!

Sonriente, Hope se da la vuelta para mirar a su público.

—¡Anda! ¡Hola! Se me había olvidado que estabas ahí. ¡Muchas gracias!

Todo el mundo se ríe.

—¡Damas y caballeros! —Mi hermana abre los brazos—. ¡Estimados miembros de la industria de Hollywood! ¡BIENVENIDOS a vuestro entretenimiento! Esta noche, para celebrar el décimo aniversario de boda de mis padres, nosotros, los infames y celebrados niños Valentine, ¡*impertetraremos* nuestra primera representación escrita por nosotros mismos!

Se pone a dar vueltas con su jersey turquesa y empieza a mover los brazos. El resto nos miramos encogidos de hombros: «¿Qué está haciendo? ¿Alguien lo sabe?».

—Prepárense para quedar completamente azuli... aluni... —Mi hermana pequeña hace una pausa larga—. ¡Alucinados! Y, por favor, no duden en coger mi tarjeta de visita de la mesa de la derecha. Estaré disponible para todos los trabajos buenos de actriz en tan solo ocho años. Gracias.

Po gesticula dramáticamente a un montón de cajas de cereales garabateadas con caras sonrientes.

—¡Con toooooodos usteeeeeeeeeeeedes: *Asesinato en el National Express*!

Retrocede y aplaude con fuerza.

Mientras Mercy y Max se pelean para ver quién de los dos toca la trompeta, yo me escondo aún más en la esquina de la carpa. Todo es precioso: las flores, la comida y los vestidos; y hay un montón de personas conocidas, estrellas de cine de todas las generaciones.

Mis padres están al frente, brillantes y felices. Las curvas de mamá destacan en su vestido verde de fiesta, y papá, guapísimo con su esmoquin, la mira sonriente, agarrándola con un brazo. Los dos se ríen demasiado fuerte.

—Qué barbaridad. —Escucho decir a papá—. Juliet, ¿estás viendo lo que hemos hecho? ¿Por qué quieren llamar tanto la atención? ¿Vamos a tener que evaluar nuestras capacidades como padres?

—Eso parece. —Mamá sonríe radiante—. Son unos pequeños actores presumidos.

—Perdonad, chicos —anuncia mi padre a los invitados

do categoría—. Considerad esto como pago por la generosa selección de canapés.

Más risas. Todo el mundo adora a los Valentine.

—Sal —susurra Mercy empujando a Max—. Sal, idiota.

Mi delgaducho hermano, de once años, sale al escenario, agitando su comba de color mostaza, y el miedo empieza a apoderarse de mí. Llevamos semanas ensayando, pero ya no estamos los seis solos. De repente, siento que es muy real, muy... público.

—Ese no es mi lado bueno —le explica Hope a Ben señalándose el lado izquierdo de la cara—. Este es mi lado bueno.

Ben —con unas gafas enormes y una bufanda verde— la rodea y le da un golpe en la coronilla.

—En realidad, este es tu lado bueno.

—¡Madre mía! —Po se arregla el pelo—. ¡Qué maleducado eres!

—Faith —susurra Mercy—, ¡ahora vas tú!

Me empieza a temblar todo el cuerpo y aprieto mucho las manos. El escenario está cada vez más cerca, el público se escucha más fuerte, las luces son más brillantes, mi voz más bajita y no soy capaz, no puedo hacerlo, no puedo...

Una mano suave se apoya en mi brazo.

—Sé la naranja, Eff —un susurro ronco—. Y si eso no funciona, intenta ser una mandarina. Más pequeña, con menos pepitas.

Me giro para mirar a Charity, que va vestida de morado.

Nuestra hermana mayor: mayor que Mercy por tres minutos y físicamente idéntica, a excepción de una pequeña cicatriz en la ceja izquierda. Con una personalidad completamente opuesta. Mientras que Mercy es impaciente, Charity es muy relajada; Mer se lo toma todo muy a pecho, y Tee está constantemente riéndose.

Todo es una broma para ella.

Pone film transparente en la taza del váter y semillas de césped en el portátil de papá, y cambia la crema de las Oreo por pasta de dientes y rellena los bollos de nata con mayonesa.

Su música siempre está demasiado alta, y su habitación, demasiado iluminada.

—¡Charity! —grita mamá cada hora—. ¡Las luces!

—¿No tienes suficientes en el trabajo? —responde mi hermana con una risa ronca—. Menuda diva eres, madre.

Pero, aun así, todos giramos a su alrededor y, en cierto modo, ella es la que nos equilibra a todos. A Hope le da fuerza, a Max, compañía, a Mercy la tranquiliza, a mamá la entretiene, a papá lo enorgullece y a la abuela le da afecto.

A mí me da risa.

—Toma. —Tee sonríe mientras Max balancea su comba una vez más y Mercy le indica impaciente que se baje del escenario—. Llévate esto. Da buena suerte.

Mi hermana arranca un pósit amarillo de su guion, coge un bolígrafo, garabatea algo y me lo pone en la mano.

Yo lo miro.

¿Dónde aparcan las chinches sus barcos?

En los muelles.

—No lo pillo.

Mi hermana se ríe con una risa burlona y ridícula que hace que Mercy la mire como diciendo: «Que ni se te ocurra».

—Ya lo sé. —Charity me guiña un ojo—. Nunca los pillas. Pero inténtalo.

Con el ceño fruncido, me quedo mirando la nota. El chiste está siempre escondido en algún sitio, acechándome sin que yo lo vea. Una respuesta a una pregunta que nunca me han hecho.

¿Qué tiene una cama, Eff?

—¿Un colchón? ¿Cojines? ¿Un edredón? —De pronto se me abren mucho los ojos—. Muelles.

—Eso es.

Nos quedamos mirándonos —la cara de mi hermana es completamente igual que la de Mercy, pero, al mismo tiempo, totalmente diferente— y todos los músculos de mi cuerpo empiezan a temblar.

Me sale un ronquido de la nariz y, antes de darme cuenta, estoy riéndome a carcajadas y chillando hasta que desaparecen los nervios, que se evaporan en el ambiente como una niebla morada.

—Cuando las cosas se pongan demasiado duras, busca siempre un chiste, Eff. —Mi hermana me acaricia el pelo—. Todo es mucho más llevadero cuando te ríes.

Yo asiento y me guardo la notita en el bolsillo.

—Te quiero, Tee.

Mi hermana, la Valentine más mayor, me rodea con su brazo morado.

—Yo también te quiero, Effilla. —Y me da un empujoncito hacia el escenario—. Ahora, a por ellos, hermanita.

57

Me tiro al suelo junto a Mercy.

La rodeo entre mis brazos mientras ella solloza en mi cuello.

—No me has perdido —le susurro—. Mer, no voy a irme a ningún sitio. Te lo prometo.

Hipea hasta quedarse en silencio.

—Menos ahora —aclaro, dándole un beso cariñoso en la frente—. Nos vemos en el descansillo en cinco minutos.

Porque ya está bien.

58

Voy avisando a mi familia uno a uno.

Es el segundo aniversario de la muerte de Charity y todos hemos venido aquí de forma automática. Me encuentro a Hope en la sala de cine, a papá en su sillón en el salón, a la abuela en la biblioteca, a Max en la cocina y a mamá en su oscura habitación.

Juntos, pero separados.

—¿De dónde sales? —Max me mira parpadeando desde el descansillo—. Pensaba que estabas en Alaska.

—¡Has vuelto! —Hope sube corriendo las escaleras y se lanza sobre mí aliviada, cubriéndome de besos—. ¡Eff, has vuelto! ¡Has vuelto! ¡Sabía que volverías! Él decía que habías emigrado, pero yo le dije que eso solo lo hacían los pájaros.

La puerta de la habitación de mamá se abre; nos mira y duda. Luego da un pequeño paso hacia fuera.

—¡Mamá! —Po me suelta y va corriendo hacia ella—. ¡Tú también estás aquí! ¡Y se te ve guapísima! ¡Me encanta tu camisón! ¿Es de algún diseñador? ¿Me lo dejas? ¡Por fi, por fi, por fi!

Mamá se mueve lentamente y coloca una mano sobre la cabeza de Hope.

319

—Por supuesto, cariño.

—Hola, Juliet. —Papá eclipsa el descansillo.

Mamá asiente con los ojos húmedos y la piel rosada. Nadie va a decir nada de que destrozó la casa hace dos días buscando una mantita de bebé que donar a la subasta. Por Charity.

—¿Podría explicarme alguien por qué me han convocado en la última planta de un edificio de tres pisos como si fuera un mono de feria? —La abuela resopla, arrastrándose hasta el descansillo con su bastón.

Se abre la puerta de mi habitación. La cara de Mercy está limpia e hinchada, sin nada de maquillaje. Así parece muchísimo más joven. Lleva unos vaqueros negros y un jersey del mismo color: sigue en luto perpetuo.

Me mira y parpadea —«Gracias»—, luego baja la cabeza.

Creo que esta es la primera vez que estamos todos en el mismo sitio desde el funeral.

Saco una llave de uno de mis bolsillos.

—Os quiero enseñar una cosa —digo abriendo la puerta que está entre el dormitorio de mamá y el de Mercy. La habitación que solía ser tan brillante y llena de luz ahora solo está llena de un silencio ensordecedor.

Entramos sin hacer ruido. Luego Mer emite un sonido gutural y se lleva las manos a la boca.

Hay pósits amarillos por todas partes. Alrededor del espejo lleno de polvo y por las paredes; en los bordes de los pósteres y sobre una cómoda que todavía está llena de maquillaje y pintalabios abiertos. Por la puerta y hasta en el cabecero, y sobre un collage de todos nosotros.

¿Por qué se levantó el ?

Porque luego 60.

¿Cómo llamas a un muñeco de nieve con tableta de chocolate?

Un abdominable hombre de las nieves.

¿Por qué la hache nunca habla?

¡Porque es muda!

Un chiste detrás de otro. En general, malísimos y ñoños; la gran mayoría copiados de internet o de libros baratos que he ido encontrando. Todos los escribí cuando una situación me superaba, cuando me hacía falta reírme, cuando necesitaba sentirme cerca de mi hermana.

«Hazme uno con todo.»

—Joder —dice al cabo de un rato Max con los ojos muy abiertos—. Faith. ¿Estás bien?

—No —admito—. Es evidente que no.

Hope no para de pasearse por la habitación, tocando los libros y los peluches de Charity, mamá no deja de parpadear, como si todo fuera demasiado brillante como para poder concentrarse.

Papá coge una revista que permanecía abierta.

—Ninguno... —Exhala con fuerza—. Somos los mismos... No hemos... Pensé que habíamos... ¿No le dijimos a Maggie que se deshiciera de todo?

—No —digo en voz baja—. Mamá le pidió que lo dejase tal como estaba.

La abuela se sienta en un sillón lleno de polvo.

—No lo entiendo. —Mercy coge un pósit amarillo—. ¿Los has escrito tú, Faith? Hay... ¡cientos!

—Dos años enteros de comedia.

—Pero... —Se le hace un nudo en la garganta—. Nunca

hemos hablado de ella. Ninguno. Siempre cambiamos de tema. Pensaba que todos la estábamos... olvidando.

—No —dice Hope, pasando un dedo por una estantería—. No hablamos de ella porque no podemos olvidarla.

Me quedo mirando a mi hermana pequeña con sorpresa.

Luego contemplo la habitación de Charity, pintada de amarillo: con brochazos por el techo.

—Lo único que quería era hacer chistes todo el rato. Odiaría la situación en la que estamos ahora.

Cojo un rollo de papel higiénico de su mesita de noche.

—Eso es de mentira. —Lo levanto y quito la primera capa: debajo hay plástico—. La payasa de nuestra hermana fabricó un rollo de papel higiénico de pega para poder tenernos de rehenes mientras ella se reía fuera del baño.

Max suelta una carcajada.

—¡A mí me ha dejado tocado de por vida! Maldita sea. Me pasé años con pañuelos en los bolsillos, por si acaso.

—Mer. —Cojo una peluca roja del escritorio de Charity—. Te ponía siempre esto en tu cama para que te despertaras y pensaras que había un fantasma en tu habitación.

—Sí. —Ella se encoge de hombros—. Pero nunca le salió bien.

—Eeeh... Casi tiras la casa abajo con tus gritos. ¿Y esto? —Cojo un trozo de papel en el que pone: «Funciona por voz»—. ¿Os acordáis cuando pegó esto en la tostadora nueva y Hope se pasó horas gritándole para que hiciera el desayuno?

—¡Oye! —dice Po indignada, abriendo una cortina—. Somos muy ricos y famosos. Si alguien tiene que tener una tostadora robot asistenta, deberíamos ser nosotros.

Papá suelta una carcajada inesperada justo cuando un rayo de sol empieza a iluminar las paredes amarillas. Las motas de polvo giran y se balancean como si fueran millones de luces diminutas.

«Hola, hermana. Has venido.»

—Charity era una idiota —digo abriendo la otra cortina—. Era molesta y ridícula y se gastaba la mayor parte de su paga en cojines de pedorretas. —Le doy un golpe a la ventana para abrirla—. Y la queríamos, y ese amor nos alegraba. Eso es lo que quiero recordar. Me apetece hablar de ella. Reírme de ella. Que sigamos con nuestras vidas en lugar de... encerrarnos en la oscuridad.

Todos miran al suelo.

Voy a la siguiente ventana y abro las dos cortinas. La habitación se vuelve dorada, como si estuviéramos en el centro de una margarita. Mi madre se acerca en silencio a la ventana para mirar el jardín, con la espalda muy recta.

—Y hay algo más —digo, tragando saliva.

La abuela me mira con severidad. No he hablado con ella desde la subasta. Respiro hondo y la miro directamente a sus ojos grises.

—No quiero ser actriz. No quiero ser famosa. No quiero conceder entrevistas y dar respuestas falsas ni que me saquen fotos ni que diseccionen mi vida todos los días. Quiero ser anónima. Normal. Me he centrado tanto en haceros felices que me he olvidado de que yo también tengo derecho a serlo.

Mi abuela aprieta con fuerza su bastón.

—¿Qué narices estás diciendo, niña?

Miro a mi familia, a las personas a las que más quiero en este mundo, y cada uno tira de mí en una dirección diferente.

«Voy a hacer del mundo mi ostra.»

—Ya no quiero ser una Valentine.

59

Silencio. Y luego...

—¡NOOOOOOOOOOOOOOOOOOOOOOOOOOOOOOO OOOOOOOOOO! —Hope se tira al suelo de rodillas y levanta los puños al techo—. ¡LO SABÍA! ¡SABÍA QUE TERMINARÍAS DIVORCIÁNDOTE DE NOSOTROS! ¡SABÍA QUE PASARÍA ESTO! ¡NOOOOOO! ¡OS MALDIGO, ESTRELLAS!

Cojo a mi hermana por las axilas y la levanto, sin parar de reír.

—No me voy a divorciar de vosotros —le explico dulcemente—. Voy a seguir formando parte de la familia. Solo que viviré en otro sitio. Haré otra cosa. Y tendré... otro nombre.

Bueno, es verdad que eso suena un poco a divorcio.

—Pero... —interviene Max—. Eff, todo el mundo quiere ser como nosotros. ¿Por qué narices prefieres ser como ellos? ¿Qué vas a hacer con... la cotidianeidad?

—No tengo ni idea. —Sonrío—. De eso se trata.

Porque la niebla ha desaparecido y, cuando miro hacia abajo, me veo los pies, veo el suelo, y puedo elegir la dirección que yo quiera.

Aunque no sepa todavía cuál es. Sobre todo porque no sé todavía cuál es.

El cálido rugido vuelve a recorrerme todo el cuerpo y miro con ternura a mi madre. ¿Ella pudo elegir?

Sigue en la ventana —todavía muy frágil y acurrucada sobre sí misma— y se me encoge el corazón. Ni siquiera estoy segura de que me haya escuchado. No va a ser fácil para ella volver con nosotros. Perder a una hermana es insoportable, ¿cómo te recuperas de perder a una hija? ¿Por dónde empiezas?

Como si pudiera escuchar mis pensamientos, mamá se da la vuelta y me mira con los ojos llenos de lágrimas. «Lo siento.»

Yo le sonrío con tristeza. «Yo también.»

Sin decir ni una palabra, papá se acerca a la ventana y abraza a mamá con fuerza mientras ella vuelve a mirar con sus ojos vacíos a los árboles.

—Bueno, Effie. Si vas a dejar de ser una Valentine, ¿quién vas a ser ahora? —me pregunta papá dándose la vuelta.

—Faith Rivers —le respondo.

—Pero... —Mi padre parece bastante sorprendido—. ¿Vas a ponerte mi apellido? ¿Eso se puede hacer?

—La gente lo hace constantemente —dice Hope, dándole palmaditas en el brazo—. Se llama cualidad de género, papá.

Miro a mi abuela. No ha dicho nada desde que entró en la habitación, y está tan rígida y aterciopelada que apenas se la distingue del sillón.

Se inclina hacia delante con su bastón y se levanta despacio.

—Faith. —Tiene una mirada firme—. ¿Sabes por qué te obligaba a recibir lecciones de interpretación todos los miércoles durante un año?

—Sí. —Asiento y me trago la culpa—. Y lo lamento mucho, abuela. Sé que somos una dinastía centenaria. Sé que estoy desperdiciando una oportunidad inigualable. Sé que yo era el futuro de los Valentine, pero...

—Te estuve dando clases —continúa— porque lo necesitabas.

—Sí. Ya lo sé. Soy malísima actriz, pero... —digo sonrojándome.

—No. No porque fueras malísima actriz. Bien sabe Dios que Hollywood se creó a raíz de las caras de mujeres preciosas que no tenían ni puñetera idea de interpretación. Te daba clases para que fueras anónima.

—¿Cómo? —digo mirándola embobada.

—¿Te crees que no sé cuál es tu color favorito? —Me mira fijamente—. ¿O cuál es tu sabor de helado prefiero? ¿Crees que te daba respuestas preescritas y las publicaciones de Genevieve para las redes sociales porque la Faith real no importa? Cariño mío, te las daba precisamente porque sí que importa.

Me quedo boquiabierta. No me estaba dando clases para que todo el mundo me conociera, sino para que no me conociera nadie.

Tras seis décadas de fama, mi abuela se estaba esforzando en construirme un caparazón y asegurarse que nadie pudiera abrirlo.

Como hicieron con mi madre.

—Pero si de verdad no quieres ser actriz —Dame Sylvia se inclina más hacia delante—, por favor, no aceptes todo el sinsentido que trae consigo. Porque te convertirás en una persona muy desgraciada.

—Gracias. —Tengo un nudo enorme en la garganta.

—Y, la verdad —añade—, disfruté mucho de la subasta. Aunque la obra de arte que vendiste por unos peniques fuera nuestra.

—Un momento —interrumpe Hope—, ¿qué obra de arte?

«Uy.»

Y, poco a poco, la habitación empieza a llenarse de ruido

y color. Papá está mirando con cariño una vieja foto suya con Charity, Hope se ríe con algunos de los chistes, mi madre se ha apartado de la ventana y está acariciando la ropa del armario de mi hermana y la abuela la mira con dulzura.

La familia Valentine se está recalibrando lentamente: encontramos nuestro sitio, recordamos nuestras frases, volvemos a nuestras posiciones. La diferencia es que, esta vez, tengo el papel que yo he escogido.

—Mercy —digo de repente, quitando un pósit amarillo de la pared y dándome la vuelta para mirar a la única esquina sombría y en silencio—. ¿Te acuerdas de que Tee pensaba que este era el chiste más gracioso de...?

Pero algo me dice que esa esquina lleva vacía un rato.

Mi hermana se ha ido.

60

Madre mía, ese cangrejo ha donado un millón de euros.

¡Se le ha ido la pinza!

Solo me quedan un par de cosas por hacer.

En silencio, vuelvo a mi habitación vacía y pego el último chiste (malísimo) al lado de mi cama para poder verlo todas las mañanas.

«A por ellos, hermanita.»

Luego me quedo de pie frente al espejo destrozado. Levanto los talones y miro mi reflejo mientras hago un gesto hacia un lado con la mano izquierda: *grand plié*. Vuelvo a apoyar los talones en el suelo y levanto una pierna hacia atrás: arabesco. Un *relevé* con un sola pierna para estirar el pie. *A la seconde.*

El cisne blanco no tenía por qué ahogarse.

Battement fondu, battement frappé; quatrième devant.

Glissade.

Tenía alas, podría haber volado.

Entrechat.

Con una sonrisa, me pongo de puntillas, levanto una

pierna y giro lentamente en círculo con un brazo hacia arriba. Doy algunos saltitos. Luego me río y hago reverencias a mil versiones distintas de mí en el espejo. Porque ahora puedo ver a todas las mujeres que soy, a todas las que quiero ser, y todas las elecciones que podré tomar.

Y que serán... mías.

Con una floritura final, me inclino hacia delante y le doy un beso al espejo. Luego me pongo mis deportivas neón, cojo el móvil y los auriculares y bajo la escalera.

—¡...hacer! —La voz cantarina de Hope se escucha en el descansillo—. En serio. Me enviaron cientos de rosas amarillas y cincuenta globos con forma de corazón, ¡y todo anónimo! Alguien debe de estar coladísimo por mí. Amor a primera vista, supongo.

Me paro fuera de la sala de cine, curiosa. La puerta está entreabierta, así que me puedo acercar lo suficiente como para ver que hay una película puesta y dos cabezas juntas en el sofá.

—Alguien muy extravagante, desde luego. —Ben se ríe, dándole un codazo divertido a mi hermana—. Estuviste en el colegio menos de tres horas. Estoy segura de que para «querer» a alguien hay que conocerlo antes. ¿Sabes lo que te digo? Cara a cara y tal. Además, ¿quién le ha podido dar tu dirección? Y tu flor favorita es la amapola, así que la ha pifiado.

—Pfff —resopla mi hermana—. ¿Qué sabrás tú?

—Más que ese gilipuertas.

—¿Gilipuertas? ¿Quién habla así? ¿Tienes cien años o qué?

—Claro. En fin. Que no ha acertado. Ya está, eso es lo que quiero decir. —Ben resopla—. Rosas amarillas. Qué *pringao*.

Se quedan un momento en silencio y luego Hope se gira hacia él.

—Ben, ¿estás celoso?

—Eh, no.

—¡Sí que lo estás! ¡Estás celoso de mi admirador secreto! Y si estás celoso... Quiere decir... —casi puedo escuchar cómo se mueven los engranajes en el cerebro de mi hermana— que te gusto. —Una pausa—. ¡Ben-ja-mi-no! ¿Te gusto? ¡Te gusto un montón! ¿A que sí? ¿Estás colado por mí? ¡Estás coladíííííísimo por mí!

A Ben se le ha puesto la nuca completamente roja.

«Ya era hora, Po. Anda que no has tardado.»

Sigo mi camino con una sonrisa.

Lo más en silencio que puedo, abro la puerta, conecto los auriculares y me quedo de pie, tranquila, en los escalones. No hay nadie fuera. Ni limusinas esperando, ni *paparazzi*, ni exnovios, ni Genevieve, no tengo que dar ningún discurso. Solo un montón de aire fresco y de oportunidades esperando a que las coja.

Saco el teléfono del bolsillo, selecciono todas mis redes sociales y las elimino.

«Hasta nunca, Faith Valentine.»

Luego pongo la música a todo volumen, estiro, miro hacia el sol e inspiro.

Espiro.

Inspiro, para que me dé suerte y también para poder vivir.

Me llega una notificación.

¡Hola, hola! Los ensayos están yendo superbién. Si tienes tiempo, ¿te gustaría venir? Otra cosa, ¿conoces a alguien que quiera cuidar de mi apartamento? ¡Alguien tendrá que vigilar mis fiestas mientras yo no estoy! Bss. S.

Sonriendo, respondo:

Riéndome —sintiéndome incluso un poco tonta— bajo los escalones y me pongo los auriculares.

«Haz un círculo.»

No veo a Mercy en el jardín dándole patadas a un árbol. Ni dando puñetazos y gritando. Porque esa historia la tiene que contar ella.

Miro al cielo y le lanzo a mi hermana un beso. Luego doy saltitos de puntillas al borde de un mundo brillante y abierto, y que me está esperando.

Y corro.

Agradecimientos

Este es mi décimo libro.

Que alguien me haya permitido escribir tantas historias es increíble, de verdad; que me hayan animado, motivado y apoyado para que siguiera lo es mucho más si cabe.

Mi agente, Kate Shaw, lleva una década conmigo (¡otro aniversario!). Sin su visión y su apoyo, seguiría siendo una camarera horrible. Por eso yo —y los posibles clientes a los que hubiera atendido— le estoy eternamente agradecida. De la misma forma que a Lizze Clifford, mi editora, quien también está conmigo desde el principio: desde la primera galletita de dinosaurio GEEK que me dio en nuestra primera reunión, pasando por todas y cada una de las ideas, de los matices y de los vaivenes. Se lo debo todo a ambas, y estas palabras son solo una gota de un enorme cubo de amor y agradecimiento.

Sin un equipo brillante lleno de talento, pasión y trabajo duro, un libro se quedaría en la imaginación de su autor (o en una caja debajo de la cama). He sido increíblemente afortunada por haber podido crear un hogar en HarperCollins. Anne-Janine Murtagh, Rachel Denwood, Nicke Lake, Samantha Stewart, Michelle Misra, Yasmin Morrisey, Jess Dean, Lowri

Ribbons, Jane Tait, Mary O'Riordan, Elorine Grant, David McDougall, Elisa Offord, Beth Maher, Alex Cowan, Geraldine Stroud, Jo-Anna Parkinson, Louise Sheridan, Sam White, Robert Smith, Carla Alonzi, Sarah Mitchell, Aisling Smith, trabajar con todos vosotros ha sido un placer y un honor. Y a Jessie Ford, gracias por otra preciosa ilustración para la portada.

Ya van diez libros. Y me temo que, para mis familiares y seres más queridos, la novedad de ser mencionados en los agradecimientos no es lo que era. Pero, aun así, mamá, papá, Tara, Autumn, abuelo: todo esto es por y para vosotros. Al resto de mi enorme familia: Caro, Louise, Adrien, Vincent, Vero, Charlie, Simon, Ellen, Freya, Robin, Lorraine, Romayne, Dixie, abuela, Judith; gracias por todo vuestro amor, por los abrazos y por haber leído todo esto.

Un agradecimiento enorme para mi querida amiga Emma Jane Unsworth, que me dio un papel en su fantástica película *Animals* y que, por lo tanto, me permitió experimentar en primera persona lo que es estar en el rodaje de una película de verdad (y puedo confirmar que, como Faith, no tengo futuro como actriz). También a Maya, Alice, Ben, Steve, Steen, Lucy, Nina y Helen: gracias por ayudarme a mantener la cordura, a ser feliz y a hidratarme durante este año. Ha hecho que todo sea mucho más divertido.

Por último, gracias a vosotros, mis lectores. Sin vosotros, estas historias no existirían: me dedicaría a hablar conmigo misma (que ya lo hago, pero no me pagan por ello). Vuestras palabras, vuestro apoyo, cariño y lealtad hacen que esta sea la mejor profesión del mundo.

Así que seguid leyendo, y os prometo que yo seguiré escribiendo.

¡Por otros diez!